JN196904

院内マニュアル

第2版

院長必携！
『ポケットマニュアル』
〜院内版〜

江澤庸博 著

医歯薬出版株式会社

This book was originally published in Japanese
under the title of :

SHINJIN SHIKAEISEISHI SHIKA JOSYU
INNAI MANYUARU
INCHO HIKKEI POKETTO MANYUARU INNAI BAN

(Manual for Dentist's to Teach New Dental Hygienists and Dental Staff in the Clinic)

Ezawa, Tsunehiro
  Kichijoji Minami Dental office

© 2019   1st ed.
© 2024   2nd ed.

ISHIYAKU PUBLISHERS, INC.
  7-10, Honkomagome 1 chome, Bunkyo-ku,
  Tokyo 113-8612, Japan

第2版のまえがき

新人歯科衛生士・デンタルスタッフポケットマニュアルは東日本大震災の翌年に発売され，はや12年が経ちました．おかげさまで第2版ではオールカラー化を行い見やすくするとともに，タイトルの一部を変えて「新人歯科衛生士・歯科助手ポケットマニュアル」となりました．医歯薬出版が長年使用してこなかった「歯科助手」という用語をあえて入れたのはこの職種を選んだ方達にもこの本を利用して頂くことで，より早く日常の臨床に役立てて欲しいと考えたからです．

2019年には要望の多かった院内版も出版しましたが，今回ポケットマニュアルと同様にそのタイトルを変更して第2版とすることになりました．内容はポケットマニュアル第2版と同期していますので，院長や先輩スタッフが新たに入ってきたスタッフに，この大判マニュアルを使って教育内容を確認することができます．

歯科医院の教育は，患者さんのそばで実践的に現場で行われることが多いため，患者さんに不快な思いをさせることがあります．これを極力避けるためにこのマニュアルでは新人への注意事項を具体的に示しています．この本を新人スタッフや学生さんを早く確実にある一定レベルの歯科医療技術まで引き上げることに利用して頂きたいと思います．

本書が各歯科医院の歯科医療レベルアップや，学校教育での理解力向上に少しでもお役に立てれば幸いです．

2023年（令和5年）11月　医歯薬出版第1会議室にて

江澤庸博

第1版のまえがき

新人歯科衛生士・デンタルスタッフポケットマニュアルを発売してから，はや7年になろうとしています．お陰様でポケットマニュアルは平成31年3月で13刷となり，実売約37,000部となっています．これは，歯科医院ですぐに役立つより実践的な内容であり，歯科衛生士養成校の教科書にも採用されているためのようです．院内版については当初からそのアイデアと要望があったのですが，ポケットマニュアルの内容更新に追われて院内版まで手がまわらなかったのです．ポケットマニュアルの内容も充実して第2版に移行することとなりこれに合わせて院内版を先行して上梓することとなりました．

院内版作成の主目的は，院長や先輩スタッフが，新たに入ってきたスタッフにこの大判のマニュアルで教育内容を明確に確認できるようにするためです．そのため，細かな字が見えにくくなった院長や，ベテランスタッフにも良く見えるように，やや大きめな文字にしてあります．

内容はこれから発売予定のポケットマニュアル第2版にほぼ同期しています．

この本のタイトルにある「新人」は文字通りの新卒スタッフだけではなく，新たにその医院に入職してきた方という意味です．したがって，今までの医院とは違ったやり方を再教育するためのものでもあります．あえて余白をたくさん残してありますので，自院のやり方に修正，追加して使用していただきたいと思います．また，歯科医院の新人教育は，患者さんのそばで実践的に現場で行なわれることが多いため，患者さんには不快な思いをさせることがあります．これを避けるために，このマニュアルでは，新人への注意喚起を言葉でなくカードで示せるように，巻末に「イエローカード」を付けてあります．このカードを利用して，新人スタッフを早く確実にあるレベルまで引き上げることに利用していただきたいと思います．

本書が各医院のレベル向上に少しでもお役に立てれば幸いです．

2019年（平成31年）4月 医歯薬出版第2会議室にて

江澤庸博

もくじ

新人歯科衛生士・歯科助手
院内マニュアル　第2版
院長必携！『ポケットマニュアル』
院内版

はじめに
―歯科医療に携わる者としての心構え

① 自院の基本理念を知る

医療人としての目的をしっかり理解することによって，プロとしての行動が決まってきます

---医療の目的---
- 患者さんの幸せを第一に考える
- 常に，自分が患者さんの立場になったらどうしてほしいかを考えて行動する

　医療の目的は「患者さんの幸せを現実化すること」です．「幸せ」という言葉は少しあいまいですが，歯科医療では具体的には痛む歯を治療することであったり，腫れを抑えるために薬を処方することなどです．

　われわれの仕事は，形のあるものを売る仕事ではありません．医療というものは，形のない「痛みの除去」や「機能的満足感」などを提供するサービス業です．ですから，基本的に，自分が患者さんの立場になったら，どうされたいか，されたくないかを考えて行動すれば，大きな間違いは起こらないでしょう．

　同じ上顎の義歯でも保険診療（保険）の義歯よりも自由診療（自費）の金属床義歯のほうが，床の厚さも薄く，口の中が快適になるのですが，このような治療を無理強いすることはできません．自由診療ができない場合は，保険の範囲で義歯をつくることが患者さんの幸せにつながるのではないでしょうか．

　つまり，それぞれの患者さんに合ったオーダーメードな治療を提供することが必要なのです．

わたしの
歯科医院
の理念

② 社会人としての基本的マナー

明るいあいさつや，正しい言葉づかい，適切な身だしなみは，社会人としての基本的なマナーです！

あいさつのポイント

11 時以降から
夕方まで
「こんにちは」

11 時頃まで
「おはようございます」

暗くなってから
「こんばんは」

患者さんへのあいさつは心をこめて言いましょう！
診療が終わって患者さんが帰るときには（心をこめて）「お大事に！」と言いましょう
「お大事にど～ぞ～↗」など語尾をのばしたり上げるのは NG ！

院内での会話・言葉づかい・行動の注意点

☞ いつでもまずは「はい！」

・指示内容がわからなくても患者さんの前では聞き返さないこと！
・わからないことは，患者さんから離れて他のスタッフに聞くようにします．
・または，「はい」と返事をしたうえで，わからないということを言葉以外の表現（ボディランゲージなど）で術者に伝えましょう．

☞ すべての人に丁寧語で話す

・患者さんにだけでなく，誰に対しても丁寧語（尊敬語・謙譲語）を使いましょう．
※患者さんはスタッフ同士の会話もよく聞いているからです！

☞ 患者さんにとって不快，不安となる言動は慎みましょう！

・診療中にスタッフ同士，小声で話したり，診療に関係のない笑い声は不快感を与えます．
・治療中の伝達事項で不安感をあおる可能性のある用語は専門用語に置き換えて話しましょう．
（「出血」→「ブリーディング」などという etc.……）．

具体例 患者さんのそばで「電気メスを用意してください」と指示すると，患者さんが「それって痛くないですか？」「麻酔はするのですか？」など不安な気持ちになったり，たくさん質問をしてきます．

そこで，「電気メス」の代わりに，ES（イーエス：エレクトロサージェリー），GP（ジーピー：歯肉整形術）などの略号を使用するなどすると，患者さんに不安を与えることなく，治療がスムーズに進みます．

なお，麻酔をしてから行う外科処置であることの説明と，服用薬のチェックは事前にしっかり行いましょう．

☞ その場にあった音量で話しましょう

・聴力に問題がない方に大きな声で話しかけるのは，場違いですし，失礼な態度です．

☞ 「お口」「先生」という言葉は何度も言わなくても通じます

・口を開けて欲しいときは，「お口を開いてください」といわず，術者が口唇に軽く触れて「開いてください」と言えば患者さんには伝わります．
・「先生お願いします」→「お願いします」

☞ 若者特有の語尾を極端にあげたり，下げたり，伸ばしたりする話し方は避けましょう

・「お口を開いてもらえますか～～↑↑」
　→「開いていただけますか」

☞ 歯ぐき，銀歯(ぎんば)，歯型(はがた)，歯医者などの言葉は医療者間では使用しません

・歯ぐき→歯肉，銀歯→冠，クラウン，歯型→模型，歯医者→歯科医，歯科医院

●会話の原則

良い	悪い
相手と対面して話す アイコンタクトを取る	相手と対面して話さない アイコンタクトを全くしない そっぽを向いている
相手の話が終わってから話し始める 相手に敬意を払う 丁寧語を使う 猫なで声を出さない	相手の話が終わる前に話し始める 相手の話に返事をせず，自分の話を始める 語尾を伸ばす，上げる，下げる

●院内での行動パターンの原則

良い	悪い
落ち着いている 柔和な感じがする 相手に敬意を払う（人を敬う）	鼻で笑う 高笑いをする 場違いな大きな声で話す 鼻息が荒い 人を馬鹿にした態度（下に見る態度） 落ち着きがない キョロキョロする バタバタ音をさせて歩く 行動が荒々しい（大きな音をたてて引き出しやブラケットの扉を開け閉めするなど）

放送禁止用語（差別用語）

　粗野な言葉づかいは，人間性そのものを疑われることにもなりかねません.

　言葉づかいには十分に気をつけましょう.

不適切な言葉（差別用語）と言い換え

✖	〇
痴呆症	認知症
知恵遅れ	精神発達遅滞
精神薄弱	知的障害
精神異常	精神疾患
精神分裂病，分裂病	統合失調症
片手落ち	十分でない，不十分
片親	母子家庭，父子家庭
人夫，土方	労働者，作業員
乞食，浮浪者	ホームレス
後進国	開発途上国，発展途上国
三つ口，兎唇	口唇裂，口蓋裂，口唇口蓋裂
どもり	発音障害，吃（きつ）音おん
したべろ	舌（した，ぜつ）

　放送禁止用語：法的定義などはなく，実際には放送局各社が社内規定として運用している用語であるが，診療室や一般生活をしている中で普段使用してはならないというイメージ通りの意味合いから，この用語を使用しています.

身だしなみ・行動のマナー

アイメイクは△
メイクも清潔感のある範囲にとどめる

髪の毛は顔にかからないようにまとめる

ひそひそ声で話したり，不必要にスタッフ間で笑い声をたてない

髪の毛の色は患者さんに不快感を与えない程度の色に

香りのきついフレグランスはつけない

診療中に補助や介助の位置からはなれるときは Dr. にひとこと断って

爪は短く切る
ネイルアートは絶対してはいけません

色つきのストッキング，ソックスははかない

進む方向を見て歩く（視線と別方向に歩かない）

シューズはパタパタと音のしないものにかかとやヒールのベルトは踏んではいけません！

院内を走らない，音を立てて歩かない

👉 髪形で注意すべき点

✕

前髪はわずかでもまゆ
毛から下にたれないよ
うにしましょう

◯

もし前髪が下がってい
てもまゆ毛の上までの
長さであれば清潔感が
保たれます

👉 髪の毛の色の基準は自院で話し合って決めましょう

　髪の毛の色は自院での基準があればそれに従います．とくになければ検討して患者さんが不快に思わない程度の色を決めておきましょう．

　航空会社などでは日本ヘアカラー協会色見本（p.240 参照）で基準が決められています．

わたしの
歯科医院
では？

....

....

....

....

....

....

....

....

③ ユニット周辺のテリトリー

治療中の術者の周囲には入ってはいけないスペースがあります
診療介助や見学するときにはこのスペースと動物としてのテリトリーをよく理解して
おきましょう

基本のテリトリー

■動物としてのテリトリーを理解して動く

- 術者とアシスタントの後ろ150°は基本的に侵入してはならない範囲です（右図参照），動物になわばり（テリトリー）があるように，人間にも基本的なテリトリーがあり，本人が目で確認できない領域（図の▤斜線部）に入ることができるのは，かなり信頼できる関係のものに限られます．基本的なテリトリーを侵すと，相手にストレスを与えることになるので，術中やむをえずこの領域を通過する場合などは，「後ろを通ります」などの声かけが必要です．

見学の心得

■「診療の妨げにならない」が見学の基本

- 新人が診療を見学する際は，立入禁止部分は避け，A，Bのいずれかの位置に立つようにします
- CとDの位置は写真を撮るなどDr.が許可した場合にのみ入ってよい場所です．通常の見学ではこの位置には入れません
- A，Bの位置にいるときは，患者さんがうがいをするときに対面しないように，Dの方向に少しずれましょう．

うしろに立っちゃ
ダメ！

見学者の基本的立ち位置

見学者が入っては
いけない位置

許可されたときのみ
入れる位置

見学者が入っては
いけない位置

12時

11時

1時

術者
150°

D

アシスタント
150°

10時

2時

9時

3時

C

許可された
ときのみ
入れる位置

B

A

通常の見学の位置

	見学者
	術　者
	アシスタント
	見学者立入禁止区域

術者，アシスタントの後ろ150°の範囲は「背後」となり，
動物のテリトリーとして侵入してはならないエリアです

見学時の注意事項

👉 身だしなみ

・派手なメイクなどは控え，患者さんに不快感を与えない身だしなみでのぞみましょう（p.8 「身だしなみ・行動のマナー」を参照）.

👉 マナー

・特別によばれたときを除き，院内をあちこち勝手に歩き回ってはいけません.
・治療は原則として，最初から最後までしっかり見ましょう.
・患者さんがいる場所で，いろいろ質問してはいけません.
・ほかから呼ばれたら，そのとき見学していたチームの人に移動する旨の意思表示をしてから動くようにしましょう.

👉 見学の態度と行動

・Aのユニットについていて，Bのユニットのほうを見ているのでは，見学の意味がありません. 集中して見学しましょう
・先生や先輩歯科衛生士，歯科助手さんの動線をさえぎらないようにしましょう

👉 アシスタントについたときの基本

・患者さんが気になる動作や音を術者が立てるのは NG です
例：介助についたポジションで手袋をパチパチ音をたてて直す
　　バキュームで自分の手を吸いシュバシュバ音をたてる
　　エアでシューシューと自分の顔を冷やす
・診療中，無言で今のポジションを離れるのは NG です（どうしてもその場を離れなくてはならないときは, 術者に声がけして許可を得てから移動しましょう）

👉 先生や先輩スタッフを不快にする態度は NG です

例：声かけもなく別な所に移動する（無断でいなくなる）
　　やたらと目立ちたがる，自分の存在をアピールする

☞ **先生が集中して診療しているとき，体を動かしたり，片付けをしたりしてはいけません.**

・不適切な態度・行動を修正する方法

サッカーのイエローカードのように紙に書いて本人にみせる．これは言葉で注意すると患者さんの耳にも入ることとなり，歯科医院全体の信用度を低下させてしまうからです.

勉強させていただいているんだという気持ちを忘れずに！
あとで質問したり，不明な点を解決できるように，しっかり見て学びましょう

見逃さないように注意しないとね！

わたしの
歯科医院
では？

① 子どもの患者さんへの対応

子どもでもあまり子ども扱いしないことがポイントです．自覚をもって受診してもらうようにしましょう

名前のよび方

小学生以上は「さん」付けでよび，子ども扱いしないほうがよいでしょう．

声かけ

・チェアに座らせてからは，「今日はみるだけ」など，アシスタントは診療に関することは言わないようにしましょう．
・「痛くないよ」は禁句です（痛いこともあり，嘘になると不信感を招いてしまいます）．代わりに「今日はがんばろうね！」など，前向きな内容の声かけにしましょう．

痛くないから大丈夫

今日はがんばろうね

母子分離

・子どもが術者の言葉に集中できるように，原則として付添人（お母さんなど）には待合室で待ってもらうようにします．3歳以下の幼児やどうしてもじっとしていられない子どもの場合は付添人が同席したり，抱いて診療したりすることもあります．

抑制

- 痛みがあってどうしても治療をしなければならないときなどは，やむを得ない場合のみ付添人に了解を得て行います．
- 手足の先をつかむと抑制できません．抑制を行うときは関節近くを押さえます．ただし，暴れていないときは強く押さえ過ぎないよう注意しましょう．

● 固定部位，関節部位
× 頸部，胸部，腹部を抑制してはいけません

治療中の注意

- 子どもの患者さんは，囲まれて方々からいろいろなことを言われると，誰に従ったらよいかわからなくなってしまいます．**治療中に声かけを行うのは，原則として術者（Dr.）のみとし，アシスタントや母親などにはむやみに声かけさせないようにしましょう．**

泣いている子，泣きそうな子への接し方

- Dr. がそばにいないときや処置を待っているときなどは，安心できるような声かけや，話などをするとよいでしょう．

10 カウント法

- 低年齢児や障害児の治療において 1 − 10 の数を「いーち、にー、さーん…」と数えることで我慢の限界を設定して治療時間の延長を計る方法です．具体的には「10 頑張ろうね…」と声がけし，10 数え終わったら，「よく頑張れたね！じゃもう 10 頑張ろうか」というように治療を進めます．

② 高齢者・障害者の患者さんへの対応

基本的に一般の患者さんと同じように対応しましょう

ユニットへの誘導時

- 手助けは原則として，患者さんから求められたときのみとし，むやみに高齢者・障害者扱いしないようにしましょう．
- 視覚障害がある患者さんの場合，声をかけつつ，自分の腕か肩に手を置いてもらうなどして，自分が前に出て誘導します．

※退出時も入出時と同様に誘導します．

声かけ

- 耳の遠い患者さんには，聞こえる音量で話しかけましょう．

車椅子からユニットへの移乗手順

- 車椅子から離れるときは，ブレーキ（ホイールロック）をしっかりかけてもらいましょう
- 足もとのフットレストをよけないと，患者さんは立てません．
- 足が床についたら，腰のベルトなどをもって患者さんの体を車椅子から引き上げ，その足を中心にして，お尻をユニットに移動してもらいます

足のフットレストをよけるときは，手で行う

アームレスト

シート（座面）

フットレスト（ペダル）

ハンドル

バックレスト

駆動輪（後輪）

ハンドリム

ブレーキ（ホイールロック）

キャスター（前輪）

車椅子各部の名称

介助の心得

　やってあげているんだという気持ちではなく，自然体で，一般の人と同じように接しましょう．

受付業務における応対と流れ

① 電話での応対

相手に声しか届かない分，正しくはっきりとした言葉づかい，明るい応対を心がけましょう！

電話応対の基本

■はじめに医院名と名前を名のるのが礼儀です

医院名と自分の名前をまず名のるのが礼儀です．
まずはじめに「○○歯科医院の■■です」と医院名と自分の名前を必ず名のります．
「もしもし」や「はい」だけしか言わないなど，プライベートな関係で行うような電話の受け方はしないように注意しましょう．

「はい，○○歯科医院の
■■です」

■クッション言葉を使いましょう

相手に対して「お願い・依頼」などをする場合などに主に使われる言葉で，直接伝えると冷たい印象となる言葉を，やわらかく表現するための話し方のマナーです．先方に失礼にあたらないように，応対時には次のようなクッション言葉を使いましょう．

☞ 電話のコールが3回以上鳴ってしまったとき

「お待たせいたしました」を冒頭につける．
「お待たせいたしました，○○歯科医院の■■です」

👉 相手を待たせるとき

「少々お待ちください」

👉 相手の要望を受けるとき

「かしこまりました」「承知いたしました」

👉 相手の要望に答えられないとき

「ex. 申しわけございません，○日は予約がいっぱいです．他にご都合の付く日はございませんでしょうか」

👉 相手の声が聞こえにくいとき

「申しわけございません，お電話が少々遠いようです．もう一度お伺いしてもよろしいですか」

👉 相手に確認したいとき

「恐れ入りますが，…」「失礼ですが，…」を冒頭につける
「恐れ入りますが，用件をお伺いできますか」

■必ずメモをとりましょう

相手の名前（会社名），用件は必ずメモします．電話は診療中にかかってくることがほとんどです．
Dr. に伝える必要がある場合は**メモに書いて渡す**のが基本です．
それ以外の用件でも，メモを書いておくことで，あとからでも内容を正確に把握することができます．
電話を受けるときはきき手（文字を書く手）ではないほうの手で
受話器を持ち，きき手ですぐメモを取れる体制で対応します．

わたしの
歯科医院
では？

電話でのアポイント受付の基本的な流れ

歯科医院名と自分の名前を伝えます

まずはじめに「○○歯科医院の██です」と，医院名と自分の名前を必ず名のります

症状の確認をします

痛みの有無，状態を聞き，急を要す症状かをDr. に確かめます

（痛みがない症状で，当日でなくても良い場合があります）

緊急性がない場合

● 通常予約を入れます

緊急性がないようであれば通常の予約を入れます

● 紹介による来院か否かを確認します

● 氏名・電話番号を確認します

連絡がとれるように電話番号を聞いておきます（他の患者さんのキャンセルが出た場合などに，予約時間を早めることができる可能性があるためです）

● 保険証を持ってくるように伝えます

緊急性がある場合

● Dr. に症状を伝え，来院についての指示を受けます

痛みがあり，当日に見てほしいという希望があるときは，基本的に受け入れます

● 来院可能時間の確認と待ち時間について伝えます

ただし，必ず予約の患者さんがいることを伝え，お待たせしてしまう可能性について伝えます

● 連絡のつく電話番号を確認します

● 必ず保険証を持ってくるように伝えます

先生個人に電話がかかってきたら

■まず先方の氏名・用件を確認します

・先生宛の電話は，取次ぐ前に相手の氏名，用件をたずねましょう．
（セールスの電話など，診療中に出る必要のない場合があるためです）
・名前を聞き取れなかった場合は，聞き直して確認し，先生に確実に伝えられるように
します．

■診療中の先生への伝え方

＜緊急の場合＞

・先方に待ってもらい，電話をかけてきた人の氏名，用件をメモに書いて先生に渡します．（電話の相手がいま治療している患者さんと対立関係にある同業他社の場合などだと困るためです）
・先生から応対の指示を受けます．

＜緊急でない場合＞

・診療中である旨を伝え，用件を聞いておきます．電話を切ったあと，用件のメモを先生に渡します．

氏名，用件を
メモに書いて先生に
渡しましょう

応対例　受付　相手

相手「○○の鈴木ですが，○×先生お願いします」

受付「失礼ですが患者さんでいらっしゃいますか？」

相手「先生に直接お話します」

受付「恐れ入りますが，ただいま診療中のため，ご用件をお伺いいたします」

（原則として相手が用件を説明できない電話は取りつがない！）

わたしの歯科医院では？

② 来院患者に対する受付業務

受付は，診療所の顔です．
患者さんが歯科医院に来てまず接するところです．
医院の印象を左右することを考えた対応を心がけましょう．

来院した患者さんへの対応

■初診の患者さんへの対応

予約による来院の場合	予約なしの来院の場合
＜来院時＞	＜来院時＞
●保険証を提出してもらいます	●初診患者は基本的に受け入れます
●症状を聞きます	●紹介で来院されたのかどうかの確認をします
●問診表の記入をしてもらいます	●症状を聞きます
●カルテの準備をします	●予約の患者さんがいることを伝え，お待たせしてしまうことを伝えます
●順番がきたら案内します	●問診票の記入をしてもらいます
	●保険証を持っているか確認します
	●カルテを作成します
	●順番がきたら案内します

＜診療中＞●新しい診察カードを作成しておきます

＜診療後＞
●会計をします
●次回来院が必要な場合は予約（アポイント）をとります
●薬の処方などがある場合は，薬を出し説明書を渡しつつ服用の方法を説明します
●新しく作成した診察カードを渡し，保険証を返却します

「こんにちは，今日はどうされましたか？」

「左下の歯ぐきが昨日から腫れて痛むのですが」

「それではこの問診票にご記入いただき，少々お待ちください．保険証はお持ちですか？」

（保険証を預かり，カルテ作成をしているあいだに問診票を記入してもらう）

■ **再診の患者さんへの対応**

再診の対応は基本的には初診と同じです

● **診察カード**および**その月に初めて来院するのであれば保険証**を提出してもらいます

● **前回の治療から期間があいている場合**は，どのくらい前に来院したかを聞き，治療の継続なのか，新たな問題があるのかを確認します

■急患の対応

痛みがあるなどの急患は基本的に受け入れます
- ●患者さんの症状を確認します
- ● Dr. に急患の来院と症状を伝え，受け入れするかどうか確認します
- ●予約の患者さんがいるので，少し待っていただくことを伝えます
- ●診察カード・保険証をもっているか患者さんに確認します
- ●順番がきたら案内します

 受付 患者さん

「右下の歯がズキズキして痛むのですが，これからみてくれませんか」

「予約の患者さんがいらっしゃいますので，少々お待ちいただくかもしれませんがよろしいですか．待合室でお待ちください」

右下の歯がズキズキして痛むのですが…

予約の患者さんがいらっしゃいますので……

■サブカルテ

保険請求に必要なカルテ（1号用紙，2号用紙）のほかに患者さんに関わる細かな情報を記入する用紙のことです．

このサブカルテはすぐに伝えたいことや患者さんの細かな情報を記入して次回の診療時の声かけや話題となるように活用します．

目立つように色のついた用紙にしておくと見やすく便利です．

例：・土曜日しか通院できない．

　　・最近ご主人が入院してその看護で忙しく疲れている．

　　・来年春ごろ転勤予定である．

　　・右上奥歯が最近しみるようになってきた．

　　　　　　　　　　　　　　　　　　　　　　　　　　　などです

↳p.33「再診時の対応」も見てください

一号用紙　　　　　　　　　　　二号用紙　　　　　　　　　　　サブカルテ

わたしの
歯科医院
では？

27

③ 初診の問診時に患者さんに確認すべき事項

患者さんとよいコミュニケーションを築いていくには，最初が肝心です．歯科衛生士として患者さんの訴えをうまく引き出せるようになりましょう

基礎知識

Dr. の診断の前でも予測できるものは準備しておきましょう．

■歯の痛みと症状・治療内容と準備物

進行程度	軽い ⟵━━━━ むし歯の進行状況 ━━━━⟶ 重い		
症状	水にしみる，少し痛む	痛む	温かいものにしみる，何もしなくてもズキズキする
検査	視診，X 線，歯髄電気診断（EPT）		
病名	$C_1 \sim C_2$	$C_2 \sim C_4$	
治療内容	CR 充塡，仮封	覆罩（ふくとう）（保護処置）	麻抜（ままばつ）（麻酔抜髄（ますいばつずい））の可能性大
準備するもの	CR 充塡，スプーンエキスカベータ	リーマーボックス，根管長測定器（EMR），綿栓，仮封材	
	OA，浸麻（注射器，浸麻針，キシロカインなど）		

※ CR：コンポジットレジン，覆罩（ふくとう）：歯髄を保護する薬を入れて様子をみること，OA（オーエー）：表面麻酔，浸麻（しんま）：浸潤麻酔

■腫れがある場合

患者さんが訴える症状	腫れ	
	歯ぐきが腫れた	根の先が腫れた
検査	X 線写真撮影，プロービング	
病名	歯周炎（しししゅうえん）（P）急発（きゅうはつ）（急性発作）Perico	根尖性歯周炎（こんせんせいししゅうえん）（Per）急発（きゅうはつ）（急性発作）
治療内容	切開	根管治療，切開
準備するもの	投薬（抗菌薬，鎮痛薬）	
	浸麻（しんま），メス，ガーゼ，スケーラー	リーマーボックス，バーセット，OA，浸麻，根管長測定器

Perico：智歯周囲炎（p.51 参照），OA：表面麻酔（p.52 参照）

確認の基本パターン

おはようございます（こんにちは）●●さん. 今日はどうなさいましたか？

笑顔ではっきりよびかける. 主訴を聞く.
記入してもらった問診票をチェックしながら詳細を聞く.

歯が痛いんです！

どこが痛みますか？

右上の奥歯が痛みます

いつ頃から痛みましたか？

昨日からです

どのような痛みですか？ ズキズキしたり, じわぁっと痛みますか？

ズキズキします！

何もしなくても痛みますか？

食事をしていると痛みますが, 普段は痛くないです

冷たいものや温かいものがしみますか？

むし歯は, 冷たいものより温かいものにしみる場合のほうが, 進行しているケースが多い.

冷たいものにしみます

全身のことについてお伺いします. これまで大きな病気にかかったことはありますか？

これまでの病歴（既往歴）の確認をする.

糖尿病でいまも病院に通っています

その病気にかかったのはいつ頃ですか？

5年くらい前からです

以前，歯科医院で麻酔をかけたり歯を抜いたことはありますか？　そのとき気分が悪くなったりしたことはありませんか？

はい

食べ物やその他，薬などのアレルギーはありませんか？

はい，ありません

現在飲んでいるお薬はありますか？

はい

お薬の確認をしたいのですが，今日は「お薬手帳」はお持ちですか？

いえ，持ってきてないです

（お薬手帳がある場合）拝見します
（あって忘れた場合）では次回お持ちください

最近の薬の注意
骨粗鬆症(そしょう)の治療薬など（ボナロン錠®など）を服用または注射しているか確認しておきましょう．
上記の薬を飲んでいると，抜歯した場合などに歯槽骨の治癒がたいへん悪いことがあります．

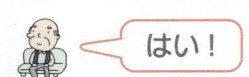 高血圧の患者さんの場合

血液がさらさらになるようなお薬は飲んでいますか？

血圧と血液抗凝固薬服用の確認が必要になる．

はい！

お薬を飲んでいて，血圧はどのくらいですか？

上130，下80ぐらいです

以前，歯科医院で麻酔をかけたり歯を抜いたことはありますか？

はい，あります

そのとき血が止まりにくかったり，具合が悪くなったりしませんでしたか？

 とくに問題なかったです

 食べ物や薬，その他のものにアレルギーはありませんか？

 花粉症です！

 飲んでいるお薬はありますか？

 花粉の時期に薬は飲みますが，普段は飲みません

 ここへはどなたかのご紹介でいらっしゃいましたか？

 いえ，インターネットで調べてきました

初診時の対応

記入していただいた問診票を確認しつつ，一号用紙の右下に主訴，大病，服用薬，浸麻経験の有無，抜歯経験の有無，アレルギーの有無について記載する．

- 主訴：なるべく直接話法で記載する．例「2，3週前から右上がしみる」
- 大病：服用薬，過去の病気とその後の経過，現在飲んでいる（注射している）薬の確認．薬を処方されている場合は，その薬剤名を記入．
- 浸麻経験があり，その際問題なければ「NP」，問題があれば具体的に記載しておく．
- 抜歯経験：過去の抜歯経験の有無を記載し，その際問題がなければ「NP」，問題があれば，「抜歯後血が止まりにくかった」などと具体的に書いておく．
- アレルギー：薬剤，食べ物に反応がないかを記録する．
  ない場合は「なし」と記載．あれば具体的に記入する．

④ 患者さんの入室からユニットへの誘導

患者さんが不安や不快感を感じないよう，つねに気を配って動くことが大切です！言葉づかいは基本的に丁寧語です

入室時

誘導前にユニットを消毒します．うがい用のコップを新しいものと交換します．

> ○山○子さん，どうぞお入りください！

笑顔ではっきりよびかけましょう．
名前は，必ずフルネームでよびます（同姓の患者さんがいる場合もあるため）．

自院の場合

....

....

....

> こちらです

患者さんの通路を確保しておきます．キャビネットやチェアなどが患者さんの動線をふさがないように注意しながら，声をかけてユニットまで案内しましょう．
（はじめての患者さんは案内係が前を歩きます．患者さんが先になるとどこへ行ったらよいかわからなくなるからです）．

> エプロンをおかけします

患者さんがユニットに座ったら「エプロンをおかけしますね」と，声かけしながらエプロンをかけます．

再診時の対応

サブカルテ（p.27）に目を通して前回特に問題がなかったかを確認してから声かけします.

もし前回腫れて急患で来院されているような患者さんに「おかわりありませんか？」などとむやみに声かけしたら患者さんにとっては「何言ってんの？私のこと何もわかってないのね！」という気持ちにさせて，その後の対応が難しくなってしまうからです.

そのような患者さんを初めて担当したときに「前回腫れた所は，いかがですか？」という声かけがなされたら「この人私と初めて会うのに私のことをわかってくれているんだ！！」という気持ちとなり，その後の治療がスムーズにいくようになるでしょう.

その後，何か気になることはありませんでしたか？

前回の治療から何か変わりはないか確認して，Dr. に伝えます.

自院の場合

椅子の背を倒します

- ユニットの背板を倒すときは「ユニットを倒しますね」と必ず声かけをしてから動かします.
- ライトの位置をセットして，スイッチを切っておきます（詳細は p.34）.

お願いします

患者さんの X 線写真やチャート，臨床写真などをモニターに映るようセットしておきます. カルテは前回の治療内容がわかるように最新のページを開いておきましょう. 準備が済んだら Dr. をよびます.

自院の場合

ヘッドレストとライトの位置の調整

　適切なライティングによって，術者（Dr., DH）の治療のしやすさが変わります．臨機応変な対応ができるようにしましょう．

■ライトの位置

・距離：治療部位から 40cm 程度を基本とします．
　遠いと届く光が弱まり，逆に近すぎると術者の頭部に当たるなどして，治療の妨げになるので注意しましょう．

■ライトの操作法

・ライトは常に治療部位がよく見えるように，術者の治療に合わせて移動させます．
・臼歯部に当てるときは，光の入るスペースが狭いので，なるべく術者の視線の方向から光を入れるようにします（術者の目の脇をかすめるようにするとよい）
・患者さんの口元が小さい，治療部位が狭いなどの場合は，光が入り込める隙間を探し，光軸を的確に治療部分に合わせるようにします．

ライトを当てたときに手やバキュームで影ができないように注意しましょう！
術野をミラーで間接的に見て作業が行われる場合は，ミラーに光を当てる場合もあります．

■ヘッドレスト（按頭台〈あんとうだい〉）の位置

　基本ポジション：背板を倒したとき，患者さんの耳の中央がヘッドレストの上下的中央にくるように調整します．
a：通常の位置．
b：高齢者の場合は顎が上がってくるので，意識的にヘッドレストを通常の下顎治療での位置と同じように，立て気味にして使用します．
c：上顎臼歯部の治療などを行う場合の位置．

ユニットに腰の位置を合わせると頭がヘッドレストに乗らないような背の低い患者さんの場合
ユニットに縛りつけられる枕（＊）やタオルなどを使用すると頭の位置が安定します．この写真の枕は手づくりのものです．

頭頸部保持用クッション（（株）モリタ）

治療終了後

エアスケーラーやタービンバーなど，先端が尖ったものがハンドピースについていたら，患者さんが退出するときに引っかかったり，刺さったりして危険なので必ずはずしておきます．

 椅子を起こします．エプロンをはずしますね

声かけしながらユニット背面を起こし，エプロンをはずします．

 受付で次回の予約をお願いします．お大事に！

・声かけするときは，心をこめることが大事です．
・患者さんが退出するときは，入室時と同じように動線をふさがないように通路をあけておきましょう．
・**「お大事に〜」や「お大事にどうぞ〜」など語尾や語間をのばして言わないようにしましょう．**
　患者さんが"軽く扱われた"という印象をもってしまいます．
・心をこめて「お大事に」と言いましょう．

車椅子の患者さんの場合

「ユニットへの移動」および「車椅子への移動」の際は，転倒を防止するために傍で見守ったり，必要が生じれば身体を支えたり，など対象者に合わせた介助が重要です．

■入室時

 ●●さん，診療室にお入りください．車椅子のままでけっこうです

・ユニットのそばまで注意して車椅子で移動してもらう．

ユニットに移動しますね

車椅子から患者さんを起こすとき，一般的には下図の方法で行うことが多いが，この方法だと患者の上半身が前傾しにくく，頭部がひざより前に出にくいので，介助者の腰に負担がかかることが多い．

下図のように，患者さんの脇の下にもぐりこむ方法で行うと，患者さんが前傾姿勢を取りやすく，介助者の要する力が少なくて済みます．また，お互いの胸部や顔面を近接させずに済むので，両者の心理的負担が少ないやり方です．

必要な場合は患者さんの腰のベルト部分を持ち，体の向きを回転させ，ユニットに移乗させます．

■治療終了後

ユニットを起こします

- 立位が保てる場合は，自分で移動してもらう．それ以外は介助する．
- 移乗する前には，必ず車椅子のブレーキをかけ，フットレストを上げておく．

足をフットレストに乗せますね

- 車椅子に深く腰掛けているか確認し，フットレストを下げて足を乗せる．その際，足を床に巻き込まないよう注意する．

お疲れさまでした．受付までご案内します

歯・口腔の基礎知識

① アシスタント業務に必要な解剖学

歯と口腔の名称

永久歯

1～8の数字で表します（1番，2番…と呼称します）

歯科における記載の左右は患者さん本人の左右を表します．対面したときの見え方とは逆の表記になります．

こうがいすい
口蓋垂

こうがいそく じょうがく
口蓋側（上顎の内側）

ぜっそく　かがく
舌　側（下顎の内側）

こうしん
口唇

舌

びしんこう
鼻唇溝

じょうこうしん
上口唇

かこうしん
下口唇

こうかく
口角
（くちびるの両はじ）

永久歯列

上顎（右側）

しんそく
唇　側
（くちびる側）

せいちゅう
正　中（顔の縦中央）

上顎（左側）

きょうそく
頬　側

ちゅうせっし
中切歯
そくせっし
側切歯
けんし
犬　歯
だいいちしょうきゅうし
第1小臼歯
だいにしょうきゅうし
第2小臼歯
だいいちだいきゅうし
第1大臼歯
だいにだいきゅうし
第2大臼歯
だいさんだいきゅうし
第3大臼歯
（智歯，親知らず）

きょうそく
頬　側

右

左

だいにだいきゅうし
第2大臼歯
だいいちだいきゅうし
第1大臼歯
だいにしょうきゅうし
第2小臼歯
だいいちしょうきゅうし
第1小臼歯
けんし
犬　歯
そくせっし
側切歯
ちゅうせっし
中切歯

きょうそく
頬　側

きょうそく
頬　側

下顎（右側）

しんそく
唇　側

せいちゅう
正　中

下顎（左側）

混合歯列

6 歳頃〜 12 歳頃までの歯列で
乳歯と永久歯が混在しています

6 E D C B 1 | 1 B C D E 6
6 E D C B 1 | 1 B C D E 6

6 E D C 2 1 | 1 2 C D E 6
6 E D C 2 1 | 1 2 C D E 6

この 2 つのパターンが比較的多い

乳歯列

2歳～6歳ぐらいの間
子どもの歯（乳歯のみ）の歯列，A～Eのアルファベットで表します

上顎

乳前歯
乳犬歯
乳臼歯

EDCBA ABCDE
EDCBA ABCDE

乳臼歯
乳犬歯
乳前歯

下顎

歯式・記号

歯式 ※（　）内は参考年齢

永久歯は数字，乳歯はA〜Eで表します．

永久歯列：大人の歯のみの歯列（12歳頃〜）

（数字）

$$\frac{8\ 7\ 6\ 5\ 4\ 3\ 2\ 1\ |\ 1\ 2\ 3\ 4\ 5\ 6\ 7\ 8}{8\ 7\ 6\ 5\ 4\ 3\ 2\ 1\ |\ 1\ 2\ 3\ 4\ 5\ 6\ 7\ 8}$$

混合歯列（例）：大人の歯と乳歯が混在している（6〜12歳頃）

$$\frac{6\ E\ D\ C\ 2\ 1\ |\ 1\ 2\ C\ D\ E\ 6}{6\ E\ D\ C\ 2\ 1\ |\ 1\ 2\ C\ D\ E\ 6}$$

乳歯列：子どもの歯のみの歯列（2〜6歳頃）

（アルファベット）

$$\frac{E\ D\ C\ B\ A\ |\ A\ B\ C\ D\ E}{E\ D\ C\ B\ A\ |\ A\ B\ C\ D\ E}$$

それぞれの咬合面からの図

略号

近心………M（Mesial）メジアル		舌側（下顎）………L（Lingual）リンガル	
遠心………D（Distal）ディスタル		口蓋側（上顎）……P（Palatal）パラタル	
頬側………B（Buccal）バッカル		咬合面………………O（Occlusal）オクルーザル	

それぞれ歯の中央（正中・体の中央）に近い部分を近心，遠い部分を遠心といいます

立体解剖図

正中（体や顔の中央のライン）
せいちゅう

切縁
せつえん
（前歯の最も咬み合わせに
近い部分）

こうごうめん　きゅうし
咬合面：臼歯

きょうそく
頬側
（臼歯の外側）

しんそく
唇側
（前歯の外側）

ぜんし
前歯：$\dfrac{3+3}{3+3}$

きゅうし
臼歯：$\dfrac{8-4\,|\,4-8}{8-4\,|\,4-8}$

しょうきゅうし
小臼歯　$\dfrac{5\ 4\,|\,4\ 5}{5\ 4\,|\,4\ 5}$

だいきゅうし
大臼歯　$\dfrac{8\ 7\ 6\,|\,6\ 7\ 8}{8\ 7\ 6\,|\,6\ 7\ 8}$

こうごうめん
咬合面：咬み合わせる面

ぜっそくめん
舌側面：下顎の歯の内側
　　　　上顎の歯の内側は口蓋側という

えんしんめん
遠心面

きんしんめん
近心面：それぞれの歯の正中に近いほうの面
りんせつめん
（隣接面：となりどうしの面）

きょうそくめん
頬側面

下顎右側第1大臼歯の例

こうがいそく
口蓋側（面）[P/Palatal]：上顎の内側
ぜっそく
舌側（面）[L/Lingual]：下顎の内側

遠心（面）[D/Distal]
（歯列の中央から遠い部分）

近心（面）[M/Mesial]
（歯列の中央に近い部分）

咬合面[O/Occlusal]
（咬み合わせの面）

頬側（面）[B/Buccal]：外側（上・下顎共通）

43

X 線写真の特徴と見方

■パノラマX線（パントモ）写真

$\overline{8|8}$ には水平埋伏智歯（→部）が認められます．パノラマX線はデンタル撮影では難しいこのような部位の症例や，全顎的に診査する必要のある場合に有効です．

パノラマX線写真で観察できる部位・症状

①**上顎洞**（じょうがくどう）：上顎骨内にある空洞でここに膿が溜まった状態を蓄膿症という

②**顎関節**（がくかんせつ）：左右が同時に動く顎の関節

③**下顎孔**（かがくこう）：下歯槽神経が下顎骨に入る入口

④**オトガイ孔**（おとがいこう）：下歯槽神経が下顎骨から出てくる出口

⑤**下歯槽神経**（かしそうしんけい）：下顎骨内部の下顎管内を走る太い神経

　下顎管（かがくかん）：下顎骨内部を下顎孔からオトガイ孔まで走る管のことで下歯槽神経と下歯槽動脈が内部を走っている

⑥**埋伏歯**（まいふくし）：骨の中にもぐっている歯

⑦**半埋伏歯**（はんまいふくし）：埋伏歯のうち，骨や歯肉から半分出た状態のもの

　完全埋伏歯（かんぜんまいふくし）：骨の中に完全に埋伏した歯

⑧**水平埋伏歯**（すいへいまいふくし）：埋伏歯の中で水平に埋伏しているもの

　（左のパノラマX線写真の$\overline{8|8}$の状態）

⑨**下顎頭**（かがくとう）：顎関節を構成する下顎骨の一部

⑩**歯根嚢胞**（しこんのうほう）：歯根を含んだ嚢胞でX線写真では根尖病巣が大きくなったように見える

⑪**根分岐部病変**（こんぶんきぶびょうへん）：歯根分岐部に認められる骨吸収

⑫**骨折**（こっせつ）：まれにしか見ない．骨折線としてX線上で観察できる

⑬**根尖病巣**（こんせんびょうそう）：歯根の治療後の根尖部のX線透過像

⑭**根管充塡材**（こんかんじゅうてんざい）：歯根の治療後に根管内に白く見えるX線不透過な材料

⑮**クラウン**（Cr, FCK, FMC）：歯冠全体または一部にかぶせたX線不透過に見える冠

⑯**インレー**（In）：歯冠の一部に合着した金属またはセラミックスの修復物

⑰**コア**：金属またはピンなどで作られているポスト

■デンタルX線写真と解剖図の対比

●デンタルX線正常像の模式図

- 歯冠（しかん）
- セメント–エナメル境（CEJ）
- 歯根（しこん）
- 歯槽骨（しそうこつ）
- エナメル質
- 象牙質（ぞうげしつ）
- 歯髄（腔）（しずい（くう））
- セメント質
- 歯根膜腔（しこんまくくう）

●デンタルX線写真の一例

- クラウン
- インレー
- インレー
- 金属コア
- 歯髄腔（しずいくう）
- 歯根膜腔（しこんまくくう）
- 歯根膜腔の拡大
- 根充材（根管充填材）（こんじゅうざい）
- 根尖病巣（こんせんびょうそう）
- 下顎管（かがくかん）

■デンタル 10 枚法（D×10）

2 部位には歯根型のインプラントが入っており，
6 は欠損しているのが観察できます
（フィルムの位置づけは p.84 参照）

CHAPTER 4 アシスタント業務に必要な解剖学

■デンタル 14 枚法（D×14）

デンタル 14 枚法は第 3 大臼歯（智歯）がある場合などに撮影する
（フィルムの位置づけは p.84 参照）

■デンタル X 線撮影用フィルムホルダー

X 線撮影用インジケーター
（阪神技術研究所）

デンタルフィルムホルダー
（歯愛メディカルなど）

わたしの
歯科医院
では？

② 歯科で使用される用語の略称

███ ：通常の呼び方（各医院ごとに呼び方に相違有り）

名称	読み方	略称	略称読み方	意味
齲蝕	うしょく	C	シー	むし歯
要観察歯	ようかんさつし	CO	シーオー	白斑や脱灰がみられるがむし歯ではない歯
齲蝕症第1度	うしょくしょうだいいちど	C_1	シーイチ, シーワン	エナメル質の中にとどまるむし歯
齲蝕症第2度	うしょくしょうだいにど	C_2	シーニ, シーツー	象牙質まで進行したむし歯
齲蝕症第3度	うしょくしょうだいさんど	C_3	シーサン, シースリー	歯髄まで進行したむし歯
齲蝕症第4度	うしょくしょうだいよんど	C_4	シーヨン, シーフォー	残根状態，歯冠がむし歯でなくなり歯根だけになった状態
歯髄炎	しずいえん	Pul	プル	むし歯の進行が $C_2 \sim C_3$ の段階で，歯髄に炎症が広がり痛みを伴う状態
根尖性歯周炎	こんせんせいししゅうえん	Per	ペル	歯髄炎から歯髄の壊死が起こり，歯根の先端から周囲に炎症が広がった状態．X線写真で根尖部の骨吸収が認められる
フィステル	ふぃすてる	/	フィステル	主に根の先の病巣が歯肉の表面に漏出して排膿などがある状態
歯肉炎	しにくえん	G	ジー	歯肉の炎症で歯槽骨の吸収を伴わないもの
歯周炎	ししゅうえん	P	ピー	歯肉炎が進行し，歯槽骨の吸収を伴った状態
慢性歯周炎（軽度）	まんせいししゅうえん（けいど）	P_1	ピーワン	骨吸収は歯根長の 1/3 以下，ポケット 3 〜 5mm 程度，根分岐部病変無し
慢性歯周炎（中等度）	まんせいししゅうえん（ちゅうとうど）	P_2	ピーツー	骨吸収は歯根長の 1/3 〜 1/2 程度，ポケット 4 〜 7mm 程度，軽度の根分岐部病変も認め，動揺などもある
慢性歯周炎（重度）	まんせいししゅうえん（じゅうど）	P_3	ピースリー	骨吸収は歯根長の 1/2 以上，ポケット 6mm 以上．根分岐部病変 2 〜 3 度含，動揺度大
口内炎	こうないえん	Stom	ストム	口唇，歯肉，舌（ぜつ）などに起こる白色円形の炎症で，通常痛みを伴う

名称	読み方	略称	略称読み方	意味
褥瘡性潰瘍	じょくそうせいかいよう	Dul	デュル	義歯の圧迫部に起こる粘膜の潰瘍
歯肉膿瘍	しにくのうよう	GA	ジーエー	歯肉の腫脹を伴う急性炎症
歯槽膿瘍（骨膜下膿瘍）	しそうのうよう（こつまくかのうよう）	AA	エーエー	主に根尖性病変が原因で歯槽骨内で起きる急性炎症で，腫れや痛みがある
歯根嚢胞	しこんのうほう	WZ	ダブリュゼット	Per が進行し，歯根の先端を中心に嚢胞があること．X 線写真で歯根の先端に円形の骨吸収が認められる
歯槽骨鋭縁	しそうこつえいえん	SchA	エスシーエイチエー	抜歯後の歯槽骨が尖っている状態．義歯を装着すると痛みが出る場合がある
智歯周囲炎	ちししゅういえん	Perico	ペリコ	親知らず（智歯）が萌出してくるとき，その周囲の歯肉が腫れて痛む状態
象牙質知覚過敏症	ぞうげしつちかくかびんしょう	Hys	ヒス	歯肉が退縮し，歯根が露出したり，ブラッシングの磨耗などによって歯がしみる状態
水平埋伏智歯	すいへいまいふくちし	HET	エイチイーティー	智歯（親知らず）が横になっていて萌出してこない状態
欠損歯	けっそんし	MT	エムティー	歯がもともとないか，抜去してなくなっている状態
破折（破損）	はせつ（はそん）	ハセツ	—	歯が折れたり補綴物が壊れた状態

名称	読み方	略称	略称読み方	意味
脱離（脱落）	だつり（だつらく）	ダツリ	―	歯の充塡物や補綴物がとれてしまったこと
抜歯	ばっし	Ext	エクストイクスト	歯を抜くこと
表面麻酔	ひょうめんますい	OA	オーエー	歯肉・頬移行部の粘膜面に塗布する麻酔のこと
浸潤麻酔	しんじゅんますい	浸麻	シンマ	麻酔を効かせたい部位に麻酔剤を注射器で刺入する．歯科で最もよく用いられる麻酔
伝達麻酔	でんたつますい	伝麻	デンマ	下顎孔などの太い神経の根元の部位に効かせる麻酔
平行測定	へいこうそくてい	平測	ヘイソク	ブリッジを形成するときに支台歯間の平行性を見ること
軟化象牙質検査	なんかぞうげしつけんさ	CDT	シーディーティー	むし歯を削る際，軟かくなっている象牙質を見極めるために，赤や青の色素で染めること
歯髄電気診査	しずいでんきしんさ	EPT	イーピーティー	歯髄の生死を判断するために微弱電流で検査すること
電気的根管長測定	でんきてきこんかんちょうそくてい	EMR	イーエムアール	歯根の長さを電気的に測定すること
ポケット測定	ぽけっとそくてい	EPP	プロービングイーピーピー	歯周ポケット（ポケット）をプローブで測定すること
チェックバイト	ちぇっくばいと	ChB	シーエイチビー	上下の咬み合わせを左右，前後の動きとして記録するバイト．ワックスやシリコンを用いて採得する
スタディモデル	すたでぃもでる	㊙㊨	マルモ	上下の咬み合わせや歯列の観察のために作る石膏模型，通常はアルジネート印象材を用いて印象する

名称	読み方	略称	略称読み方	意味
インレー	いんれー	In	インレー	虫歯治療のため，歯の一部にセットされた充填物
アンレー	あんれー	On	アンレー	部分冠一部分を削らず残した
クラウン	くらうん	Cr, FCK, FMC	クラウン, エフシーケー, エフエムシー	歯にかぶせる冠．材料は金属からポーセレンまで各種ある
義歯 部分床義歯 （パーシャルデンチャー）	ぎし ぶぶんしょうぎし ぱーしゃるでんちゃー	PD	ギシ ピーデー	歯のない一部分に入れる義歯
総義歯 全部床義歯 （フルデンチャー）	そうぎし ぜんぶしょうぎし ふるでんちゃー	FD	エフデー	歯が全てない上顎か下顎に入れる義歯，総入れ歯
X線撮影	えっくすせんさつえい	X線, X-Ray	エックスセン エックスレイ	口腔内デンタル，咬翼法，パノラマ，およびデジタルで行うX線撮影
デンタル	でんたる	D	ディーまたはデー	縦横3×4cm程度の口腔内フィルムまたはセンサーを用いるX線撮影．小児用サイズもある
パノラマ （パントモ）	ぱのらま （ぱんとも）	OP	オーピー	上下歯列と顎骨を1枚のフィルムで展開して観察できる断層X線撮影
暫間被覆冠 （テンポラリークラウン）	ざんかんひふくかん	TEK （保険用語：Tec）	テック	削った歯に一時的に被せておくレジン冠

●自院で頻用される略称を追加しましょう

診療前・後に行う準備と管理の知識

① 診療室の管理

快適な環境の維持とスムーズな診療開始・終了のために自分の役割を考えて行いましょう

朝の仕事（例）

■一番早く出勤したスタッフがしておく仕事

①鍵を開け，電気をつける．防犯システムがあれば解除する．

②ブラインドやカーテンを開けて光を入れる

③ON にするもの：
　院内 LAN システムの起動
　自動現像機（現像液の水を入れ，フィルムを流す．出勤後一番初めに行うと，他の準備の間に終了する）
　ユニットの電源
　水のスイッチ（閉→開：冬期に元栓の水抜きをしている場合は，その解除）
　コンプレッサーのスイッチ
　BGM，など

④患者さん用のエントランスの鍵を開ける

⑤受付の電話の留守録を解除する

わたしの歯科医院では？

....
....
....
....
....

昼の仕事（例）

①ワッテ，ロールワッテ，アルコールワッテの補充をする．

②流し場や洗面所のタオル交換，使用済みのタオルなどの洗濯を行う．

③使用済み器具の水洗をする．

④低水準消毒剤にかけ，水洗し，超音波洗浄器にかけ滅菌する．

⑤消毒液を廃棄する．

⑥石こうを注入する．

CHAPTER 5 診療室の管理

昼食や着替える際など，診療室から離れるときは，電話の子機とアポイント帳は持って移動しましょう！
（予約の電話がその間に入った場合に対応できます）．
清掃は診療室の決まりに従って行いましょう

自分の歯科医院での朝・昼の仕事を書き出してみましょう．

わたしの
歯科医院
では？

診療後の仕事（例）

①ワッテ，ロールワッテ，アルコールワッテの補充をする．

ワッテを入れる容器（ワッテ缶）

テトラ綿

ロールワッテ（ポール綿）

②使用済み器具の洗浄を行い，超音波洗浄器にかける．

超音波洗浄器

③a：滅菌をする（一般的器具）．

オートクレーブ

b：タービン・コントラなどの回転器具にオイルを注入する．

自動注油装置（モリタ：ルブリナ®）

④タービン・コントラなどを滅菌する．

インスツルメント，タービンハンドピース用オートクレーブ（Ex Clave II®）

⑤石こうを注入する.
　石こうの混水比に注意しましょう
（p.206 参照）.

⑥消毒液を廃棄する.

真空埋没器

⑦院内の清掃を行う.

⑧使用済みタオルなどの洗濯.

⑨電話の留守録をセットする.

⑩ OFF にするもの：
　コンプレッサーのスイッチ，院内 LAN，BGM，ユニット，部屋の電気など

自分の歯科医院での診療後の仕事を書き出してみましょう.

わたしの
歯科医院
では？

CHAPTER 5 診療室の管理

② ユニット各部の名称

確実な診療補助を行うために，自院の機械の名称や構造は熟知しておきましょう

- ライト（無影灯）
- スピットン
- バキューム
- スリーウェイシリンジ
- 排唾管
- ヘッドレスト（按頭台）
- ヘッドレスト調整レバー
- 背板
- フットコントローラー
- ガスバーナー
- ブラケットテーブル
- コントロールパネル（チェア操作スイッチ）

スリーウェイシリンジ
- W ：水
- A ：空気
- WA：両方押すと霧状となる

- エアタービン
- エアスケーラー
- マイクロモーター
- 超音波スケーラー

ON / OFF
開 / 閉 W
開 / 閉 A

- 電源スイッチ
- 水の元栓
- エアの元栓

モニター

ワッテ缶

バーナー

スイッチ類

ハンドル

超音波スケーラー

スリーウェイ
シリンジ

タービン

エアスケーラー

エンジン

自院のユニットの写真に貼り替えて使うと便利です

③ トレー上にそろえる基本セット

日常の診療時に使用する最も基本的なセットです．治療の内容ごとに必要な器具などを，この基本セットに追加します

トレー上にそろえる基本セット例

①ミラー
②ピンセット
③探針（たんしん）
（エキスプローラー）
④ストッパー
（練成充塡器（れんせいじゅうてんき））
⑤プローブ
⑥バキュームチップ
⑦ポリッシング
ブラシ

①ミラー：明かりとり，見えないところを見る　舌や頰の圧排などに用いる
②ピンセット：細かいものをつまむ
③探針（エキスプローラー）
④ストッパー（練成充塡器：仮封材を詰める etc.）
⑤プローブ
⑥バキューム
⑦ポリッシングブラシ

わたしの歯科医院では？

自院のセット（メモや写真を貼りましょう！）

④ 消毒と滅菌

感染予防を確実に行うことは，安全な治療を行うための基本の基本です

消毒と滅菌の定義

■除菌（じょきん）

対象となるものから菌を除いて減らすことであり，
減らす程度の割合を含まない概念.

※基本的には医学用語で
はない

■消毒（殺菌）（しょうどく）

人に対して有害な微生物のみを無害化すること

■滅菌（めっきん）

すべての微生物を殺すこと（完全に死滅させること）

※医学用語として用いる

不完全	感染予防の度合い	完全

除菌	消毒	滅菌

消毒と滅菌の原則

1. 患者さんと患部から細菌をうつさない
2. 術後，患者さんから感染を受けない
3. 病気を他の患者さんにうつさない

消毒法の分類

消毒にもレベルがあることを理解しておきましょう

高水準消毒……芽胞が多数存在する場合を除きすべての微生物を死滅させうるレベル

中水準消毒……多くの結核菌を含む栄養型細菌，すべての真菌および多くのウイルスを殺滅させうるレベル（芽胞は殺滅できない場合がある）

低水準消毒……多くの結核菌を除いた栄養型細菌，ある種のウイルス（芽胞や多くのウイルスなどには有効とならない）を殺滅させうるレベル

■物理的消毒法，化学的消毒法と滅菌

		細胞芽胞	結核菌	増殖型細菌	真 菌	ウイルス
物理的消毒法	煮沸消毒	×	○	○	○	○
	高圧蒸気滅菌	○	○	○	○	○
化学的消毒法	高水準消毒	○	○	○	○	○
	中水準消毒	×	○	○	○	○
	低水準消毒	×	×	○	△	△

> 高水準の消毒は滅菌と同じくらいのレベルです！そのレベルの消毒剤は，液自体や蒸気が人体に有害なので，密閉できる容器に保存するなど使用説明書をよく読み，取扱いに注意しましょう

> 消毒は患者さんの立場になって行うように心がけましょう！

わたしの歯科医院では？

....
....
....
....
....
....

■化学的消毒法の分類：消毒剤の適応と殺菌レベル

	適応	殺菌レベル	一般名	商品の一例	
医療器具用	医療器具の消毒	高水準	グルタラール	ステリハイド®L 2% 液Ⓐ	
			フタラール	ディスオーパ®Ⓑ	
			過酢酸	アセサイド®Ⓒ	
	排泄物消毒 室内（家具・器具・物品）の消毒	中水準	次亜塩素酸ナトリウム	ミルトン® ピューラックス®Ⓓ テキサント®	
			クレゾール石けん液	リゾール®	
			ホルマリン	ホルマリン®	
生体用	手指・皮膚消毒 手術部位（手術野）消毒 創傷部位・感染皮膚消毒		ポビドンヨード	イソジン®	
		アルコール系	イソプロパノール	イソプロパノール消毒液®50%Ⓔ	
			消毒用エタノール	消毒用エタノール®	
		低水準	グルコン酸クロルヘキシジン	ヒビテン®Ⓕ ヤクハン®	
			第四級アンモニウム塩系（ベンゼトニウム塩化物，ベンザルコニウム塩化物等）	ハイアミン® ホエスミン®Ⓖ	
			両性界面活性剤	ビスタ300® テゴー51®	
			アクリノール水和物	ヘクタリン® リバオール® 東海アクリノール®	
			オキシドール	オキシフル®	

滅菌法の分類

使用した器具は確実に滅菌することが必要です．各機器の使用条件をよく理解して使用しましょう

■滅菌法の種類

	条件	適応
高圧蒸気滅菌 （オートクレーブ）	121℃ 20 分間　2 気圧 132℃ 15 分間　2.4 気圧	器具，ワッテ（医療用脱脂綿），ガーゼ，金属性器材，リネン類，ガラス製品，ゴム・プラスチック製品の一部
エチレン オキサイドガス滅菌 （EOG 滅菌）	40℃〜60℃ 2 時間〜8 時間 湿度 25 〜 60%	器具に熱が加わらないので非耐熱のプラスチック，ゴム製品も滅菌可能
乾熱滅菌	160℃〜170℃　1 時間 180℃〜200℃　30 分間	ガラス器具など
化学滅菌 （ケミクレーブ®）	135℃ 20 分間 2 気圧	金属の劣化を生じないので鋭利な器具・金属製品に適する

歯科医院における滅菌器の大部分はオートクレーブ（高圧蒸気滅菌）です．使用法を熟知しましょう．
★オートクレーブ使用の際の注意！
①まず，使用した器具を流水下で十分に洗います．
器具に付着している唾液，血液などは完全に洗い流しましょう
②その後，オートクレーブによる滅菌を行います

滅菌後の器材にむやみに手を触れないようにしましょう！

診療後の後片付け─洗浄，滅菌の流れ

使用した器材

血液などによって汚染されたものは乾燥させないようにする

洗浄（洗浄剤に浸漬）

＊タンパク質や脂質の分解酵素液（アニオザイムなど）

ジェットウォッシャー

用手洗浄・超音波洗浄

加熱不可能な器材

高水準消毒液による消毒とすすぎ例：グルタラールなど

Panasonic
自動ジェット式器具洗浄機（ヨシダ）

包装

乾燥・包装

乾燥・包装

滅　菌

保　管

感染に対する考え方をあらためましょう.

外科処置後の洗浄は,血液や体液などが付着している場合がありますので,最も感染の可能性が高い作業です.

グローブ,手首が露出しないガウン,防護用メガネを着用して行いましょう.

診療に使用した歯科機材を洗浄せずにヒビテンなどの一次消毒液に漬けることはタンパク質を器具に変性固着させてしまい,その後の洗浄,除去が難しくなるため行ってはなりません.

★スタンダードプレコーションの理論では,すべて左図の流れで行うことが望ましいのです.ただし,臨床において重要なことはどのような滅菌器を使うかや手順をふむのかよりも,患者さんの口の中に触れた手でブラケットテーブルの引き出しやワッテ缶などを触らないことのほうがより重要です.

手指衛生の手順

〇石けん・ハンドソープ

①手のひら　②手の甲　③各指の間　④親指

⑤各指　⑥指先　⑦手首　⑧流水で流す

■清潔域と不潔域

　清潔域とは,通常,外科手術などにおいて,器具や器材が滅菌された状態の区域を示し,そうでないところを不潔域という.臨床的な例では,バキュームと外科用バキュームの交換などで,バキュームチップを交換する場合,トレー内に入れるのは口腔内に入れる部分であり,バキュームホースと連結する根元の部分（汚れている部分）は,トレー外に出しておくような場合も広い意味で清潔域,不潔域の区別といっている.

⑤ 滅菌袋・滅菌手袋・ガウンの取扱い

めっきん

感染予防を確実に行うことは，安全な治療を行うための基本の基本です

滅菌袋の取扱い

　見た目の清潔さではなく，袋の外側は汚れている，内側は清潔という考えで取扱いましょう

滅菌袋からの器具の取出し方

1　介助者が滅菌袋を中身を触らないように開きます

2　介助者は Dr. が器具を取出しやすいよう滅菌袋の口をめくります

3　Dr. が器具を取出します

■滅菌済みか滅菌前かの確認

　滅菌袋はオートクレーブなどで熱が加わると矢印部の色が変化（変色）するようになっています．滅菌パックの有効期間はおよそ3カ月なので滅菌した日付を書いておきましょう

滅菌手袋の取扱い

装着の手順

1 介助者が外袋を開きます

2 術者が中包みを取出します

3 術者が中包みを開きます

4 手袋の手首の折り返し部分を右手で持って左手に装着します

5 装着したほうの手でもう一方の手袋の折り返しのすそを持って

6 もう片方の手に装着します

7 両手が入ったらしわがないよう引っ張り，
両手を合わせて，指の付け根までしっかり装着します

医療現場でのきれい・汚いは見た目ではありません！

しわのある滅菌袋で，中の器具が若干黄ばんでいても期限内である滅菌袋の封を開けていなければ，その中身は細菌が生きていない清潔な状態（滅菌状態）です．

滅菌袋の外側は細菌学的には汚染されていますが，その中身は滅菌状態なので中身を取出すときは，p.69 の写真のように袋をめくる人と中身を取出す人を分けないと，滅菌した器具が汚染されることになります．

中の器具を持つ人は手洗いを十分にした人か，滅菌した手袋をつけた人です．

使用後の手袋のはずし方

基本的に汚れた外側の面をいかにして触れずにはずすかを考えましょう.

1 片方の手で反対側の手袋をむき

2 むいた手袋でもう片方の手袋をむきつつ汚れた面を包み込みます

3 両方の手袋を反転させて，すべて汚れていない面のほうを表に出し，ひとかたまりにして捨てます

外科用ガウンの取扱い

装着の手順

1 介助者がガウンの外袋をめくり，中袋を Dr. が引き出しやすいようにします
（実際は机の上などにおかず空中で行います）

2 Dr. が中袋を取出し，中袋の包みを開けてガウンを露出させます

3 ガウンのえりの端を持ち上げて，空中でほぐします

4 全体にほぐれたら上のひもを持ち，一方の端をお互いの手が触れないように介助者に手渡し，片方のそでに腕を通します

5 もう一方のひもを手渡します．介助者は，Dr. の背中側で上のひもをしばります

6 背筋のしわをのばして下のひもをしばります

7 装着完了です

※外科用ガウンを着たら，手は必ず体の前に位置しておきます．手を後ろにまわしてはいけません

使用後の手袋のはずし方とガウンの脱ぎ方

1 介助者は後ろの上下のひもをほどきます

2 清潔な面を常に保ちつつ一方の手袋をめくり

3 他方の手袋で，最初に脱がしたほうの手袋を包み込むようにして

4 両方の手袋をまとめて廃棄します

5 手袋でカバーしていたそで口の一方をつまんでずらし

6 ▶ 内側をつかんだままもう一方のそで口を手からずらし，介助者がよごれた側を触らないようにして

7 ▶ 反転させて廃棄します

廃棄ボックスへ

医療用廃棄ボックス

アシスタント業務に必要な基本技術と知識

① バキューム操作

バキュームには大きく分けて3つの目的があり，水，唾液，切削片の吸引のほかに，臭気の吸引，舌・口唇の排除などに使用します

使用目的

①水，唾液，切削片を吸引する．
②舌や口唇，頬粘膜を排除し，術者の視野を確保する．
③電気メス使用時や，臭気を放つ薬品を扱う際の臭いの吸引に使用する．

操作方法（立位で行う場合）

原則として右手で持ちます（把持）
・把持方法　曲：パームグリップ（握り持ち）
　　　　　　直：ペングリップ
・チップの切り口は効果的に吸引できる方向を考えて術野を妨げないように操作します．
・吸引する場所によってチップの切り口の方向を常に調整するよう心がけましょう．

バキュームの形状

曲

直

上顎右側

上顎左側

下顎右側

下顎左側

それぞれのバキュームチップ（黄色の部分）の切り口の方向は常に歯列側に向いていることに注目!!

スリーウェイシリンジを使用する場合は, シリンジを左手で持ち操作

右下の治療で, 舌が邪魔なときは, 介助者がミラーで舌を圧排しつつバキューム

■良い例

基本的なペングリップによる把持法（持ち方）

頬部を圧排して（どけて）吸引する場合のパームグリップ（握り持ち）による把持法

■悪い例

バキュームを手のひらで持つ方法. この持ち方は引くよりも"差し込む"方向に力が入りがちなため, 危ない持ち方である

② スリーウェイシリンジの操作

水，エアー，混合（スプレー）の３つの顔をもつ便利器具です

使用目的

スプレー：水とエアを同時に出し，霧吹き状にすること．おもに洗浄，冷却を目的としています

エアー：乾燥や唾液を飛ばすなど，術野をよく見えるようにすることを目的としています

スリーウェイ
シリンジの例

レバー部拡大
（モリタ製作所のスリーウェイシ
リンジ）

操作方法

レバーは親指の腹の部分で操作します
Ⓦを押すと：注水（WATER）
Ⓐを押すと：エアー（AIR）
ⓌとⒶを同時に押すと霧状の混合スプレー

スプレーを出すとき

一気にⓌとⒶを押さずに，Ⓦを少し先に押し，次にⒶのレバーを押して強さを調節しましょう！
スプレーを出すときは，水のはね返りを予想してバキュームの位置を決めます．

水
（写真はモリタ製作所のシリンジ）

エアー

スプレー
（水・エアの両方を押して霧状
とする）

ボタンの押し方
（日本のメーカーのスリーウェイシリンジ．カボなどの外国製品では
水とエアーの位置が反対の場合もある）

強く押し
すぎた！

CHAPTER 6 スリーウェイシリンジの操作

③ 器具の手渡し

臨機応変に対応できるようにしましょう

器具の手渡しの注意点

- 患者さんの顔の上で行ってはいけません.
- 術者が口腔内から目を離さないですむように手渡します.
- ピンセットやエキスプローラー（探針）等は，使用部位（上顎・下顎）を考慮し，術者が受け取る方向，術者の次の動作などを考えたうえで手渡します.

■良い例：患者さんの顔の上を避けた位置で渡す

■悪い例：患者さんの顔の上で渡す

歯科で使用する器具は先の尖ったものが多く，万一顔に落としたら危険です．そのため，患者さんの顔の上を避けて受け渡しをするのが原則です.

■ Dr. 側からの受け渡し：根管治療中の貼薬，仮封などを行うときに使用するポジション

1 Dr. が振り向かなくても手を出したら……

2 アシスタントは Dr. が器具を持ちかえなくてすむように先生の手の中にしっかり力を加えて器具を渡す

3 4 渡したとき Dr. が最初に持った位置でそのまま治療が続けられるのが理想的

手渡したあと Dr. が「しゃくとりむし」のように手の中で器具を持ちかえていたら，それは正しい渡し方ではありません．

● フォアハンドシステム等，または医院での独自の方法がある場合は余白に記入しましょう．

④ X 線写真撮影

X 線写真は，診療の重要な資料です．患者さんの負担が少なく，明瞭な写真が撮影できるようにしましょう！

デンタル X 線写真撮影時の介助

手順

1 X 線撮影室へ患者さんを誘導し，Dr. に撮影部位を確認します．

2 撮影時間（撮影部位に合わせる）をセットします．

3 患者さんの頭部が安定するよう位置決めをします．

4 X 線撮影用フィルムまたはイメージングプレート（IP）などを患者さんの口腔内に入れ，撮影部位に位置づけます．フィルムホルダーを使用する場合は，そのホルダーの位置づけどおり行います．

放射線防護用エプロンは基本的に必要ありません

歯科用 X 線防護エプロンは，体内を通過する散乱線を防護することはできません．さらに，パノラマ撮影や歯科用 CT の場合は物理的に撮影を妨げることにもなります．このような理由から歯科用 X 線撮影では，防護エプロンは患者さんの心理的心配を静めるためには推奨されていますが，使用の有無にかかわらず，大きな変化はないことが明らかになっています．（日本歯科放射線学会防護委員会：歯科エックス線撮影における防護エプロン使用についての指針 -2015 年 9 月　より引用改変）

安心感

5 照射筒（コーン）を位置づけます．その際，不安定にならないように，コーンの先端を押さえながら，両手を使って合わせます．

X線撮影装置の本体のみを図のように持って合わせようとしても，コーンの先端の位置を思うように決めることはできません

コーン

コーンの先を持って合わせると，コーンの先を患者さんの顔に触れさせることなく，すばやく位置決めができます

6 アシスタントまたは Dr. は撮影室から退出し，Dr. がスイッチを押します．

お願いしまーす

7 撮影終了後，患者さんの口腔内からフィルムまたはイメージングプレート（IP）などを取り出し，患者さんには，診療室のチェアに戻ってもらう．または，待合室で待ってもらうよう伝えます．

8 イメージングプレートまたはフィルムをアルコール綿などで清拭してから，スキャナで取り込んだり，現像したりします．

■フィルムの位置づけ

デンタルX線撮影で使用するフィルムには，表裏判別マーク（「。」）が付いています．位置付けの際は確認して，表裏逆にならないように注意しましょう．

。表裏判別マーク

第3大臼歯まで入れるときは14枚法で撮影する

ホルダーを使用する場合はホルダーのつけ方に準じます．その場合は$\frac{3\mid3}{3\mid3}$のフィルムの位置付けはもう少し咬合面に直角になります．

■その他

デンタル10枚法（D×10）：基本的なデンタル撮影法

デンタル 14 枚法（D×14）：第 3 大臼歯まで入れるときは 14 枚法で撮影します.

パノラマ X 線：顎関節や下顎骨や上顎洞も観察できます.
（詳しくは p.44, 45 を参考としてください）

パノラマ X 線写真撮影の介助

手順

1 患者さんを X 線撮影室に誘導します．

2 フィルムカセッテをセットし，放射線防護用エプロンを患者さんの背面からかけてから，所定の位置に立ってもらいます（または座ってもらいます）．義歯，眼鏡，イヤリング，金属の髪留めなどは X 線写真に写ってしまうので，はずしてもらいます．

3 インサイザルガイドとなるものを軽く前歯で咬んでもらいます．**レーザー測光をしている場合があるのでインサイザルガイドはメーカー指定のものを使用するようにしましょう**（無歯顎の患者さんの場合は，軽く丸めたティッシュペーパーなどで行います）．

4 患者さんの顎をチンレストに正しく乗せ，まっすぐに位置づけしてもらいます．両手で握り用の取っ手をつかんでもらいます．

5 各装置に付いている位置決め設定を行います．顎が前に出過ぎないように横から見て顔がまっすぐになっているか注意して位置決めします．基準面は各装置のマニュアルに従います．

6 「機械がぐるっと回りますので，顔を動かさないようにしてください」と患者さんに伝え，介助者は撮影室から退室し，ドアを閉めます．
※患者さんの肩に撮影機械が当たりそうなときは「肩は動かしても構いませんが頭は動かさないでください」と補足説明をしておきましょう．

7 Dr. に「お願いします」と声かけしてスイッチを押してもらいます．

8 撮影終了後は，頭部位置づけの装置を解除して，患者さんにそのまま後ろに下がってもらいます．その後防護エプロンをはずし，インサイザルガイドを取り出してもらいます．
患者さんには診療室のチェアに戻るか待合室で待ってもらうよう伝えます．

9 機械のリセットボタンを押し，その後現像（またはデジタルデータの取り込み処理）をします．

自動現像機の操作と管理

代表的な X 線写真自動現像機の例

一回の使用が終わったら前面のスライドを開けて湿気を抜いておきます

翌日の朝，水を抜いて新しい水洗用の水に入れ替えします
注意：フィルムにゼラチン様の物質が含まれているため，次の日の朝に水を交換するのがベストといわれています

撮影失敗の対処法
パノラマ，デンタルとも下記のような解説本を参考にしてください

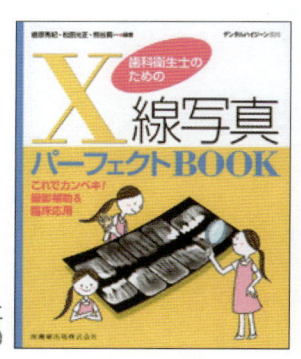

「エックス線写真パーフェクトブック」（医歯薬出版）

わたしの
歯科医院
では？

⑤ 麻酔時の補助

患者さんにとって，歯科治療のなかでもとくにつらい治療行為の一つが，麻酔をされることでしょう．少しでも負担を軽減できるような補助をしましょう

麻酔法の種類

■方法による分類

右のように分類されます

表面麻酔法（OA） オーエー （p.233 参照）

　麻酔針刺入による痛みを軽くさせるために，ゼリー状の表面麻酔薬を綿球などに付けて粘膜面に 1 ～ 2 分直接塗布する方法です

　浸麻を指示されたらまず OA を準備しなければなりません．

表面麻酔薬の例：
ジンジカイングル® A，
ビーゾカイン歯科用ゼリー 20%
B （p.233 参照），
キシロカインゼリー® 2% C，
歯科用キシロカイン® スプレー D
など．

注射麻酔

浸潤麻酔法（浸麻）
<small>しんじゅん ま すいほう　しん ま</small>

　浸麻は歯科で最もよく使われる麻酔法です．麻酔を効かせたい部分にのみ注射で薬液を刺入する方法で，効果は 30 分〜 1 時間程度です．注射器のピストンを押す部分は刺入後押すだけ（引くことはない）なので，レバー部は T 字型，リング型のどちらでも使用できます．

注射針：番号の数が大きいほど針が細くなる　　注射器（T 字型）（浸麻用）　　注射器（リング型）（浸麻・伝麻用）

伝達麻酔法（伝麻）
<small>でんたつ ま すいほう　でん ま</small>

　おもに下顎孔などの神経の元部分に麻酔薬を刺入し，広範囲に麻酔を効かせる方法で，作用時間も長く，2 〜 3 時間はしびれています．

　薬液が太い血管のなかに入っていないことを確認するために，刺入後に注射器のピストンを引くので，ピストンの先にはカートリッジのゴムに入り込む鉤またはスクリューがあり，親指のかかる部分はリング状になっているものを使用するのが普通です．深い部位に注射するので，針の大きさも太くかつ長くなっています．

ピストンにはカートリッジのパッキンに入り込む鉤またはスクリューがついている

浸麻用針（細くて短い）

伝麻用針（太くて長い）

■局所麻酔薬の種類

リドカイン製剤：歯科用キシロカイン®，オーラ注歯科用カートリッジ®，キシレステシン®など
塩酸メピバカイン製剤：カルボカインEF®など
塩酸プロピトカイン製剤：歯科用シタネスト®など

血管収縮剤の種類と使用上の注意点

血管収縮剤の種類にはエピネフリン，ノルエピネフリンなどがあります．
歯科用局所麻酔薬に血管収縮剤が添加されているのは
・血管収縮剤添加により，麻酔効果時間が延長される
・出血量が減少される
などの効果があるからです
エピネフリン，ノルエピネフリンは甲状腺機能亢進症，糖尿病，高血圧症，動脈硬化症，心室性頻脈，狭心症の患者さんに用いると，症状を悪化させる場合があります．そのため，このような疾患をもっている患者さんには，血管収縮剤が少ないか，添加されていない局所麻酔薬（シタネスト，オクタブレシンなど）を使用するなどの注意が必要です．

注射器の取扱い

■カートリッジ注射器

セットの手順

1 使用する麻酔薬の種類を確認し（キシロカインかシタネストか，など），カートリッジをアルコール綿で清拭します

2 カートリッジ注射器のピストン部を引き，カートリッジを入れます **2**

3 ディスポーザブル注射針をキャップ（短いほう）をはずし **3**，注射針を注射器にセットします（このとき誤って指を刺さないよう注意しましょう）**4 5 6**

4 ピストン部分，うしろのネジがゆるんでないか必ず確認し，しっかり締めます **7**
準備完了 **8**

CHAPTER
6
麻酔時の補助

後始末

1 キャップが付いていない場合は，指を針で刺さないよう注意しながら長いほうのキャップを付けます

2 長いキャップをしっかり付けたら注射器からはずし ,

3 短いキャップも付けて所定の場所に処分します．カートリッジも再使用せず，必ず処分します 11, 12, 13, 14

4 廃棄 15, 16

廃棄する場合はリキャップせずに針を注射器からはずすのが理想です

 ※厚生労働省は廃棄の場合のリキャップは避けるよう指導しています
しかし診療中はトレー内の注射器にキャップをしないでいると指を刺す可能性が高くなりますので事実上リキャップをしないとかえって術者の危険性が増すことになります

■電動注射器

, のようなものがある．セットの仕方はそれぞれの器材のマニュアルに従います

オーラスター®

 アネジェクトⅡ®

セットの手順

オーラスター® の場合

1 専用ケースにカートリッジをセット

2 ケースごと本体に取付けます

3 注射針とキャップをしたまま，ねじ入れるようにします

4 セット完了

アネジェクトII ® の場合

1 ケースにカートリッジを入れ 1

2 ケースごと本体に取付けます 2 3

3 注射針をセットします 4 5

4 セット完了 6

**わたしの
歯科医院
では？**

6 タービン／コントラハンドピースとバーの種類

歯科用の切削器具は大きく分けて 3 種類あります．その 3 種のなかでもバリエーションがあるので，間違わないようにしっかりおぼえましょう

■回転切削器具の分類とバーの対応

バー	コネクター	回転切削器具

エアタービン

高速コントラ（レッドライン）

増速コントラ：5 倍速／タービンバーも対応する

PMTC 用コントラ

コントラ（ブルーライン）

ストレート

タービン用バー：タービン

コントラ用バー / 技工用バー：エンジン（モーター）に接続

対応するバー

●タービン用バー

ダイヤモンドバー

レギュラー　ファイン　ラウンド

MI バー　カーバイトバー　ロングバー　その他，特殊なバー

タービン用バー（FG用）

●タービン用バー｜エンド用バー　　　除去用バー

TK ロングバー　JH バー　　　シリコンポイント

●PMTC 用ブラシ・ラバーカップ

PMTC用

●コントラ用バー　シリコンポイント　ホワイトポイント　ラウンドバー

コントラ用バー

●技工用バー／ハンドピース（HP）用バー（長いバー），ポイント等

カーバイドバー　カーボランダムポイント　　ビッグポイント

シリコンポイント　レギュラー　ファイン
　　　　　　　　　ペーパーコーン　ディスク

技工用バー（長いバー）

99

エアタービン 歯を削る.

　市販されているものはヘッドの大きさにより，大小，または大中小の3種類程度の種類がある．回転数は1分間に30〜35万回転くらいと高回転だが，エアで回転を与えるため，トルク（回転力）はない．

大　　　　中　　　　小

ヘッドの大きさ：左から大中小．（ツインパワータービン®〈モリタ〉）

使用バー

タービン用バー（高速コントラにも使用できる）

・ダイヤモンドバー

レギュラー

ファイン*

ラウンド：先が球状のバー

*ファイン：レギュラーより目が細かい．全体に金色のものや，ラインが入っているものもあり，レギュラーと区別できるようになっている．

・MI バー

・カーバイドバー

・ロングバー：歯内処置やコア除去などに使用するバー

・その他，特殊なバー

咬合面を削ることなどに使用

👩 自院で使う器具のメモ・写真などを貼りましょう

※カーバイドバーとエアタービン小の相性はよくありません.
　タービンの小はバーの把持力が低いため，金属冠などの削除時にバーがはずれてくることがあります.
　#330 などのカーバイドバーのベストマッチはタービン大です.

高速コントラ 歯を削る，根の治療に使用する．

　エアタービンと同じバーを使用する．回転数は，1分間に約20万回転と，タービンより低いが，モーターで回すためトルク（回転力）がある．

使用バー

・タービン用バー

・JHバーなど（エンド用バー）

・FG用

・TKロングバー（エンド用バー）

・カーバイドバー（#330）

シリコンポイント（茶）エアタービン，4，5倍速コントラに使用できる．

コントラ むし歯の処置，根の治療，充填物の研磨など．

使用バー **コントラ用バー** ※おしりの部分に溝（ロック）がある

・シリコンポイント・ホワイトポイント（コントラ用）・ラウンドバー

おしりの部分
の溝（ロック）

※コントラにつくポ
リッシングブラシ
もある

PMTC 用コントラ コントラより低速回転で，ポリッシングができる専用コ
ントラ．

歯根・歯面の研磨・PMTC 用ブラシやラバーカップが直接付けられる．

ポリッシング
ブラシ

コーンタイプ（テーパー）
ラバーカップ

使用バー PMTC 用ブラシ・ラバーカップなど
PMTC 用コントラ専用のもの

ストレート　技工用の長いハンドピース用バーのみを使用する.

太さはコントラ用バーと同じで，軸が長くおしりの部分にロック用の溝はない.

使用バー　技工用バー，ハンドピース用バー，ポイント等

・技工用カーバイトバー

・カーボランダムポイント
　レギュラー：粗仕上用

・シリコンポイント：茶＝粗仕上，
　青＝最終仕上

・ビッグポイント

ファイン：細部の研磨用

左から研磨順（カーボランダムポイント→ビッグポイント→茶色シリコン→青色シリコン）

粗い ← → 細かい

・ペーパーコーン
　（左：粗い　右：細かい）

・ディスク：左からレジンディスク，
　ダイヤモンドディスク（大，小）

 自院で使う器具のメモ・写真などを貼りましょう

① 歯周治療

歯周治療は家でいえば土台となる部分の治療です．歯科衛生士の力量が
最も必要とされる治療の一つです

歯周病の原因

歯周病の主な原因はプラーク（歯垢）です．プラークは細菌の塊です．この細菌の出す
毒素などによって歯肉が腫れ，歯周ポケットや歯槽骨の吸収が生じ歯周病となるのです．

歯周病の分類

歯周病		
歯肉炎	炎症は歯肉のみで歯槽骨の吸収はない（X線写真で確認できる変化はない）	**軽度**：プロービングで出血しないが，みた目の発赤^{ほっせき}などがある **中等度**：プロービングすると出血する **高度**：何もしなくても血がにじむような歯肉
歯周炎	歯肉の炎症だけでなくX線写真で確認できる歯根周囲の歯槽骨の吸収がある	**慢性歯周炎** **局所**：一部分の歯周炎 **全顎**：全顎にわたる歯槽骨の吸収があるもの しんしゅうせい **侵襲性歯周炎**（若年性歯周炎） ┏**限局型**：16歳前後の若年者に発症し，上下とも前歯，第1大臼歯を中心とした左右対称の骨吸収がある．全身的な疾患はない． ┗**広範型**：全身的に病気がなくても若くして（30歳以下で）すべての歯に高度な骨吸収がある．自然脱落していることもある

歯肉の病的所見

歯肉の正常所見と病的所見の模式図

正常な歯肉：健康な歯間は歯と歯の間を鋭く尖った形の引き締まったピンク色の歯肉が
埋めています

歯　肉　炎：歯肉は腫れて赤く変色し，歯ブラシでさわっただけでも血が出てくる状態
となります

歯槽骨吸収の分類

歯槽骨の吸収の分類	
水平型 隣接する歯のセメントエナメル境（CEJ）を結ぶラインを基準とし，このラインに平行な吸収をいう（b）	**垂直型** 基準ラインから根尖方向に向かうくさび状の骨欠損をいう（c）

2mm

歯槽骨の吸収
a：正常
b：水平型の吸収
c：垂直型の吸収

歯槽骨の吸収は，隣在歯間の CEJ を結ぶラインを基準としている．
この基準線と平行で，その距離が 2mm 以内であれば正常（図 a）．
基準線と平行でその距離が 2mm 以上の場合，水平型骨吸収（図 b）．
基準線よりもいずれかの歯根方向へ骨レベルが傾斜したときが垂直型骨吸収（図 c）．

歯周病の進行

健康で正常な歯周組織
- 歯肉はピンク色で引き締まっている
- 歯間部歯肉は鋭く尖っており，ブラッシングで出血したりしない

歯肉炎
- ブラッシングで出血する
- 歯肉が発赤し，腫れてブヨブヨしている
- 歯肉の退縮はない

軽度の歯周炎
- プロービングデプス3mm 以下または，歯槽骨吸収が 30%以内

中等度の歯周炎
- プロービングデプス 4 〜 6mm または，歯槽骨吸収が30 〜 50%程度

重度の歯周炎
- プロービングデプス7mm 以上または，歯槽骨吸収度の程度が半分以上

治療法

- ブラッシング

- ブラッシング
- フロスの使用
- スケーリング

- ブラッシング
- フロス，歯間ブラシ
- スケーリング
- ルートプレーニング
- 歯周ポケット掻爬（Pcur）

- スケーリング
- フロス，歯間ブラシ，ラバーチップの使用
- ルートプレーニング
- 歯周ポケット掻爬
- 歯肉切除（GEct）
- フラップ手術（FOP）

- スケーリング
- フロス，歯間ブラシ，ラバーチップの使用
- ルートプレーニング
- 歯周ポケット掻爬
- フラップ手術
- 抜歯

歯周治療（歯科治療）の流れ

①　診査・診断・治療計画

緊急処置
切開
投薬
抜髄など

- 基本検査／精密検査

- 口腔内写真

- X 線
  パノラマ

D×10

D×14

②　歯周基本治療（初期治療）

- 口腔清掃指導（TBI）
- スケーリング（Sc）
- ルートプレーニング（Rp）
- 暫間固定（T-Fix）
- 齲蝕歯の処置
- 根管治療
- 抜歯（Ext）
- MTM（小矯正）
- 咬合調整

③　再評価

基本検査
精密検査

④　歯周外科処置

- 歯周ポケット掻爬
- 歯肉切除
- フラップ手術
  　　　　　など

5 再評価

基本検査
精密検査

6 補綴処置

- クラウン（Cr, MC）
- ブリッジ（Br）
- 局部床義歯（PD）
- 全部床義歯（総義歯 /FD）

7 メインテナンス

SPT：サポーティブペリオドンタルセラピー

用語と意味

👉 口腔清掃指導（TBI：Tooth Brushing Instruction）
- ブラッシング指導

👉 スケーリング（Sc：Scaling　保険用語：SC）
- 歯肉縁上，縁下を問わず，歯面からプラークと歯石を除去することで根面を構成するセメント質などは除去しない．

👉 ルートプレーニング（Rp：Root planing　保険用語：SRP）
- 根面に沈着した歯石や壊死セメント質などを除去し，滑沢でクリーンな歯面を作ること．

👉 PMTC（Professional Mechanical Tooth Cleaning）
- 歯科衛生士，歯科医師による機械的歯面清掃のことで手用スケーラーや超音波スケーラー，エアスケーラー，ラバーカップ，ポリッシングブラシなどを使用する．

👉 サポーティブペリオドンタルセラピー（SPT：Supportive Periodontal Therapy）
- 歯周治療終了後歯周組織を長期に安定させるための処置で保険用語にもなっているが，本来はメインテナンスと同義語

歯周病検査

　歯周病の診断，治療計画の立案，治療方針の決定等に際して行う検査です．保険診療では，歯周基本検査，歯周精密検査があります．

■歯周ポケット測定（プロービング）

　プロービングとは歯周ポケットの測定のことで，歯周組織の破壊程度を知るもっとも有効な診査法です．保険用語では，「基本検査」「精密検査」などとよびます．

　プローブを使用して調べた，歯周ポケットの深さの数値をプロービング値（プロービングデプス）といいます．

プロービングの方法（ウォーキングプロービング）
歯周ポケット内でプローブを上下させてポケット底を探りながら測定する．

プロービング値の読み方
プローブが歯肉を斜めに横切っている場合は，大きな値のほうをプロービング値とする．本図の場合，目盛りが 3-3-2-3（mm）のプローブを用いており，測定値は 3mm（←部）と読む．

CEJ
歯肉辺縁
ポケット底
骨レベル

歯肉退縮
（リセッション）
3mm

付着喪失
（アタッチメントロス）
5mm

プロービングデプス
2mm

プロービングと付着の喪失
アタッチメントロス（付着の喪失）＝（歯周ポケットの深さ＋歯肉の退縮量）

歯周（歯科）治療の流れ

歯周治療では次の流れを常に頭においておきましょう．

緊急処置 → 抜髄・切開・投薬など

診査 → 診断 → 治療計画 → 初期治療 → 再評価 → 外科処置 → 再評価 → 補綴処置 → メインテナンス
SPT

診査：
- 視診
- プロービング
- X線
- 動揺度
- 電気歯髄診 など

初期治療：
- 口腔清掃指導
- スケーリング，ルートプレーニング，ポケット掻爬
- う蝕歯の処置，根管処置
- 保存不可能な歯または根の抜歯
- 矯正治療
- 暫間固定
- 咬合調整

外科処置：
歯肉切除，フラップ手術など

■プロービング時の出血（BOP）

　プロービング時の歯肉からの出血の有無を調べます．歯肉の炎症部位と程度がわかります．

■歯の動揺度

　Miller の歯の動揺度の分類を基本に確認します．

歯の動揺度（Miller の分類）

動揺度	所　見
0 度：生理的動揺	・歯の動きをほとんど感じない
1 度：軽度の動揺	・唇舌方向にわずか（0.2 ～ 1.0mm）動く ・生理的動揺よりもわずかに大きいと感じる
2 度：中等度の動揺	・唇舌方向に中等度（1.0mm ～ 2.0mm）動く ・近遠心方向にも動く
3 度：重度の動揺	・唇舌方向に約 2mm 動く ・たて方向にも動く

■根分岐部病変の検査と分類（Hamp ら）

○	ファーケーションプローブが根分岐部に挿入できない
I （軽度）	ファーケーションプローブの先端が根分岐部に挿入可能であるが 3mm を超えないもの
II （中等度）	ファーケーションプローブの先端が根分岐部に 3mm 以上挿入可能であるが他の入口と交通しないもの
III （高度）	プローブの先端が他の分岐部の入口と交通するもの

（江澤庸博：一からわかるクリニカルペリオドントロジー，医歯薬出版，2001，107 より引用）

ファーケーションプローブ

根分岐部の診査

分岐部病変 II（水平方向に 3mm 以上入り他方に抜けない状態）

測定部位

■プラークの付着状況

口腔清掃（プラークコントロール）の状態を，視診，探針を用いた触診やプラーク染め出し液で染め出した後，歯肉縁上プラークがあるかないかをプローブなどで擦過して確認します．

咬合状態等については，必要に応じて検査します．

■チャートの記入例と治療計画

上記の歯周組織検査の結果を記録したもので，患者さんの口腔内の状態が把握できます．

□ = 粗糙面　　■ = BOP（＋）部位

診断

76 3　7
5　5　歯周炎（軽度～中等度）

治療計画

1. TBI
2. 76 3　7　SRP
   5　5
3. 再評価
4. 76 3＋4　67　ポケット掻爬または FOp
   5　45
5. 再評価
6. メインテナンス 1 回/3M

この患者さんはヘビースモーカーのため，深いポケットがあるのに出血部位が少ないという，喫煙者に特徴的なチャート所見です．

プラークコントロール—口腔清掃指導，スケーリング・ルートプレーニング

■プラークコントロール

歯面・歯肉に付着したプラーク（歯垢）を除去し，口腔内の細菌をコントロールすることです．

プラークコントロールは歯周治療の基本です．これが実行できなければ，歯周組織は改善されません！

●機械的プラークコントロール

歯ブラシやフロス，歯間ブラシなどによる機械的プラークコントロールがプラークコントロールの主流です．

①歯肉縁上のプラークコントロール

歯ブラシ，歯間ブラシ，ワンタフトブラシ，フロス
などを使用する方法です

ブラッシング

フロッシング

②歯肉縁下のプラークコントロール

スケーリング・ルートプレーニング（SRP），歯周外科処置

SRP

●化学的プラークコントロール

洗口剤（リステリン®），抗菌薬の使用などによる方法です．
市販の洗口剤で最も効くとされているのがリステリンです．しかし，有効なのは歯肉炎までで，市販品で深いポケットに効く洗口剤はないのが現状です．

●その他（生物学的プラークコントロール，食事指導，禁煙指導）

プロバイオティクス（システマ歯科用オーラルヘルスタブレット＜乳酸菌製剤＞など），食事指導，禁煙指導などによるプラークコントロールです．

システマ歯科用
オーラルヘルス
タブレット

わたしの
歯科医院
では？

歯周治療—プラークコントロール・口腔清掃指導

CHAPTER 7

■口腔清掃指導等

●ブラッシングの方法—代表的なブラッシング法

①バス法：歯周病に対しては，最も一般的な方法です

　歯ブラシはペングリップで持ちます．

　歯ブラシの毛先を歯軸に対して 45°の角度で歯肉溝に入るように当て，圧迫振動を加えながら前後的にこまかくやさしく動かします■ ■.

　前歯部の舌・口蓋側（歯の内側）では歯ブラシを縦に動かします■. 咬合面は別にブラッシングします.

② 1 歯ずつの縦磨き法

　歯ブラシを歯面に縦に当て，上下に動かし 1 歯ずつ磨く方法です.

下顎は歯ブラシのカカト部分を使用する

上顎は歯ブラシのつま先を使用する

③スクラッビング法

歯ブラシを歯面に直角に当て，辺縁歯肉にも軽く接触させながら前後方向に小刻みに動かします．前歯部の舌・口蓋側では歯ブラシを斜めに当てます．

④フォーンズ法：おもに子どもがパームグリップ（握り持ち）で行う方法です

咬み合わせた状態で歯ブラシを歯面に直角に当て，歯頸部を越えて大きく円を描きながら動かします（描円法）．舌・口蓋側（歯の内側）では歯肉を含めて前後にジグザグにブラッシングします（内側は描円法では行いません）．

●補助的清掃用具と使用法

①歯間ブラシ

歯と歯の間やブリッジ下面などの隣接面の清掃を目的とした小さなブラシで，太さ，形はさまざまなものがあります．隣接面に挿入し前後に動かして操作します．

②フロス

歯の隣接面の清掃を目的とした，撚りの少ない軟らかい糸．

最も基本的なのはワックスなしのフロスですが，その他に，ワックス付きのフロス，水分を含むとふくらむフロスなどがあります．

ゆっくりと前後に動かしながら，歯と歯の間に通していき，歯の面に沿わせ，歯肉溝内まで入れ込みます，．その後歯冠側に向かって，歯面の付着物をこすり取るように動かします．

下顎臼歯部では両手の人差指を主に使い，上顎臼歯部では両手の親指と人差指をコンビネーションさせて使用します．

③ワンタフトブラシ

　筆のように先だけにブラシがついていて，前歯部，臼歯部とも歯肉溝や歯間部にさし入れ，清掃する部分を直接ねらってブラッシングすることができます．

上：ピーキュア®（オーラルケア）
　　プラウトに比べ，毛がやわらかく，長め
下：プラウト®（オーラルケア）

使用法

●その他の補助用具：ラバーチップ（歯間刺激子）

　歯周外科治療後などに，歯間部の不整な歯肉形態をなおすことを目的とし，歯間部に差し入れて使用する器具です．ゴム（ラバー）製で，歯間部に入れやすいように円錐形となっています．歯間部歯肉に押し当てることで歯間部の歯肉を刺激し，歯肉の形を整えます．

　清掃を目的とした器具ではないので，ブラッシング後に使用してもらいます．

　市販されているラバーチップの種類はかなり少ないのが現状です．

使用法

■スケーリング（Sc）・ルートプレーニング（Rp）

●使用する器具の種類

種類			
プローブ	一般的なプローブ		
	ファーケーションプローブ	プローブ	ファーケーションプローブ
スケーラー	**手用スケーラー**	鎌形（かまがた）（シックルタイプ）	
		キュレットタイプ（鋭匙型（えいひがた）） グレーシーキュレット ユニバーサルキュレット	
	エアスケーラー（音波スケーラー）		
	超音波スケーラー（ウルトラソニックスケーラー）		

●手用スケーラー

鎌型（シックルタイプ）スケーラー

スケーラーの断面は三角形で，刃先は尖っています．刃がハンドルの一方にしかない片頭と，両端にある両頭のものがあります．

（スケーラー片頭）

（スケーラー両頭）

切縁
（カッティングエッジ）

先端
（トウ）

内面
（フェイス）

背面
（バック）

断面は三角形

側面（ラテラルサーフェイス）

鎌型（シックルタイプ）スケーラーの各部名称

キュレットタイプ（鋭匙型）スケーラー（ヒューフレディ社エバーエッジ 2.0 リジットタイプ）

前歯部用から臼歯部用まで図のような種類があります．スケーラーの断面はカマボコ形で，刃先は船尾のように丸まっています．

| 1/2 | 3/4 | 5/6 | 7/8 | 9/10 | 11/12 | 13/14 |

前歯部用　　前歯部および小臼歯用　　臼歯頬舌面用　　臼歯近心面用　　臼歯遠心面用

シャンクの彎曲は1つで，数字が大きくなるほど曲がりが強くなっている．

シャンクに2つの彎曲がある．

グレーシーキュレットの各部名称

内面（フェイス）
断面はカマボコ型
先端（トウ）
ヒール（かかと）
側面（ラテラルサーフェイス）
切縁（カッティングエッジ）
背面（バック）

ルートプレーニングやシャープニングの詳しいやり方はこのようなテキストを参考にしてください．
（「ルートプレーニングのエキスパートになろう！」医歯薬出版）

歯周治療—スケーリング・ルートプレーニング

●エアスケーラー（AS）

圧搾空気を利用して歯石を除去する装置です．エアタービンのコネクターに連結して使用します．通常 6,000Hz 程度の振動域が使用されています．

エアスケーラーのチップ
通常は超音波スケーラーのチップより細い
（KAVO ペリオチップ＃8）

●超音波スケーラー（US）

超音波発生装置によって歯石除去を行う装置．通常 25,000 〜 40,000Hz の振動が使用されています．そのためチップはエアスケーラーより太めです．

超音波スケーラーのハンドル，チップ本体の例
NSKVarios 970[®]（㈱ナカニシ）

●超音波スケーラーとエアスケーラーの比較

比較項目	超音波スケーラー（US）	エアスケーラー（AS）
術者の手指に伝わる根面の感覚	AS よりも歯根面に対する触知感覚に乏しい	**手指の感覚により近い**
操作性	ユニット組込型でない場合は悪い	**エアタービンと同様，ワンタッチで着脱できる**
チップの形状，材質	あまり細いものは使用できない	**細いものが使用できる（インプラント用などの細い樹脂製チップなど）**
ブラシが使用できるか？	できない	できる
パワー	**強い**	弱い
患者さんの不快症状	大きい（パワーの調整で減少できる）	少ない
心臓ペースメーカー等への影響	**影響のあるものがある**	影響なし
滅菌器の使用	できないものがある（最近発売されたものはほぼ可能）	**できる**
薬液注水下での同時使用	**できるものがある**	できない
価格	エアスケーラーの 1 ～ 1.5 倍	**エアタービンとほぼ同額**

歯面清掃器の例（左：プロフィーフレックス 4.0®，右：エアフローハンディ 3.0®）
歯面の着色やヤニなどを粉末と水のスプレーによって除去する装置

歯周外科処置

歯周外科には歯周ポケット掻爬，フラップ手術，歯肉切除，歯肉歯槽粘膜手術などが含まれます.

■症例と適用処置

症例		適用処置

歯肉炎（なし←骨吸収→あり）
- 歯肉増殖 → **歯肉切除（GEct）**

歯周炎
- 軽度の水平型骨吸収
- 中等度以上の水平型骨吸収 → **歯周ポケット掻爬（PCur）** ルートプレーニング後歯周ポケット軟組織の内側をキュレットなどを使用して意図的に除去すること
- 垂直型の骨吸収 → **フラップ手術（歯肉剥離掻爬術 FOp）**

歯肉歯槽粘膜病変
- 小帯の位置異常など付着歯肉が狭い，ない → **MGS（歯肉歯槽粘膜手術）**

■歯周外科治療時に準備する器材

治療内容を想定して準備しましょう

①表面麻酔（OA）
②浸潤麻酔
③プローブ
④サージカルブレード（替刃）1
⑤ブレードホルダー2
⑥オルバンメス3

⑦歯肉剥離子4
⑧鎌型スケーラー5
⑨キュレット（鋭匙）型スケーラー6
⑩ティッシュプライヤー7
⑪ヘモスタット（止血鉗子）8

No 11　No 12　No 15　No 15C　**1** サージカルブレード

2 ブレードホルダー

3 オルバンメス

4 歯肉剥離子

5 鎌型スケーラー

6 キュレット型スケーラー

7 ティッシュプライヤー　　**8** ヘモスタット（止血鉗子）

9 ボーンキュレット

10 骨ノミ（チゼル）

11 歯肉バサミ　　**12** 持針器

⑫骨ノミ（チゼル）**10**　　⑮ガーゼ
⑬歯肉バサミ**11**　　⑯持針器**12**
⑭生理食塩水，洗浄用シリンジ

■フラップ手術（歯肉剝離掻爬手術　FOp）

　フラップ手術は「明視野におけるルートプレーニング」が目的です．簡単に言うと「根面の歯石や壊死セメント質を直接目でみて除去するために歯肉を麻酔下で開いて行う方法」なのです．

1 一次切開：遠心から歯軸に平行で，歯肉頂縁から歯槽骨頂縁に向けて切開を行う．
二次切開：一次切開後，歯肉溝内から二次切開を加える．

2 縦切開を行う場合は頬側のみに行い，粘膜側から歯間乳頭方向に切開する．

3 舌，口蓋側も同様に切開し，

4 歯肉弁を歯間乳頭から剝離する．
その後，肉芽を除去してから，骨内面の掻爬，根面のルートプレーニングを行う．

代表的なフラップ手術の模式図

■歯周ポケット掻爬（PCur）

ポケット掻爬は中等度程度の歯周ポケットがある場合に行われる方法です．やや深めのポケットに対して行うので麻酔が必ず必要です．

歯周ポケット掻爬の手術の流れ

1 表面麻酔（OA）

2 浸麻（2％キシロカイン®など）

3 スケーリング，
ルートプレーニング（**1**〜**3**）

> **用意するもの**
> ・表面麻酔（OA）
> ・浸潤麻酔（キシロカイン®など）
> ・スケーラー（キュレットタイプ）
> ・シリンジ
> ・生理食塩水

ルートプレーニング
1：キュレットをポケット底まで挿入，
2，**3**：キュレットのブレードを正しく
根面にあてルートプレーニング

4 ポケット壁の掻爬（**4**，**5**）
　　鋭匙型スケーラー（キュレット）
の刃をポケット壁に向け，歯肉外側
を指でおさえて歯周ポケット内壁を
底部から掻爬する．
　　この際，よく研磨したキュレット
を，歯軸に対し横方向に動かす．

4，**5**：キュレットを横方向（水平方向）に
動かし歯肉内壁の掻爬をする．

5 掻爬後，根面と歯周ポケット内壁間
に残存する肉芽を生理食塩水で洗浄
除去する．

6 縫合，またはコーパック®（ペリオドンタルパック）

■縫合糸の種類

分類	商品名・写真
天然糸 絹糸 （非吸収性）	MANI®スーチャー
人工糸 （吸収性）	バイクリル®
人工糸 （非吸収性）	Nurolon®（ナイロン） エチボンドエクセル®（ポリエステル） ソフトレッチ®（ソフトナイロン） ゴアテックス®・スーチャー （ゴアテックス）

・太さは数値で表される（4.0 シルクなど）．数字が大きくなるほど糸は細くなる．

3.0	4.0	5.0	6.0

太い　　　　　　　　　　　　　　　　　　　　　　　　細い

・人工糸にはブレイド（編み線）とモノフィラメント（単線）がある．

ブレイド　　　モノフィラメント

■縫合法の分類

分類		方法
縫合	単純縫合（断続縫合）	O型 8の字型
	連続縫合	水平マットレス 垂直マットレス 連続縫合

縫合の手順（単純縫合：O型の例）

1 歯肉に対しなるべく針を直角に刺入する．斜めに刺入すると，歯肉中を薄く糸が通過するために歯肉が断裂しやすくなる．

2 歯肉中から完全に針が出てくる前に，針の根本側で糸の接合部でない部分を軽く把持し糸を抜き出す．

3 糸の後端を歯肉から抜いてしまわないよう右手で持った持針器に手前から2回巻きつけ，持針器の先で糸の後端をつかむ．

4 左手で持った糸を持針器から歯肉方向へ出して，2〜3cmの部分に持ちなおして歯肉面に沿わせてしっかりしめる．このとき，もしゆるむようなら介助者がプローブなどで縫い目をおさえる．

5 1度目のしまりをほどかないよう（引き上げたりしないよう）にしながら外科結びを完了させる．

6 縫合終了．

■コーパック® (ペリオドンタルパック)

コーパック® の練和手順

1 材料を準備します
（コーパックハードアンドファースト®）

2 太さは違うが同じ長さを練板に絞り出します

3 2つのペーストを色が均一になるように手早く練和します

4 スパチュラ上に一塊としてまとめる．このとき練板にワセリンを用意します

■歯周外科手術後の注意事項

歯周外科手術後の注意事項

1. 手術後は完全に止血したことを確かめてからお帰りを願っていますが、もし再び出血した場合は、清潔なガーゼか紅茶又は緑茶のパックを患部に当て、そのまま15分くらい噛んで下さい。それでも止血しない場合は御連絡下さい。

2. 刺激により出血、腫れ、痛みなどが起こることがありますので、当日は入浴、飲酒、激しい運動、強くつばをはくことはさけて安静を保って下さい。

3. 手術当日は患部を冷やした方が痛みや腫れをおさえられますので、冷やしたタオルや氷などを患部顔面に当て、10分間行ない、次の10分間は離し、ずっと冷やさずこれをくりかえして下さい。

4. 歯の周りに巻いてあるものをパックといいます。これは、歯肉の包帯のようなもので傷口を守り患部を固定しておくものですから、パックをはがすような硬い食べ物などはさけて下さい。少量のパックがはがれても傷口の痛みがなければ心配ありません。

5. 処方された薬は、指示通り服用して下さい。何か異常を感じたら飲むのをやめて下さい。

6. 手術後のブラッシングは患部以外は歯ブラシをていねいにして下さい。

おだいじに・・・

歯科医院名：

住所：

電話番号：

歯周外科手術後の患者さんには，口頭で注意事項を伝えるとともに，上記のようなパンフレットを一緒に渡すと，後から患者さん自身で確認ができます

② セメントの練和

通常，粉と液を混ぜ合わせてセメントとしますが，ペースト・ペーストタイプやオートミックスタイプもあります

グラスアイオノマー系レジンセメント（粉・液タイプ）の練和

手順

① **準　備**

グラスアイオノマーセメント・計量スプーン・プラスチックスパチュラ・紙練板を準備します **1**.

② **計　量**

紙練板上に計量した粉末と液を出します．

・粉は密度を均一にするため，ビンを回転させるか振って，粉をフワッとした感じにしてから計量します **2**．付属のスプーンで粉をすり切って計ります **3**.

・液は紙練板に垂直に1滴ずつ垂らします（**4 5**）.

3 **練 和**

液に粉末を混ぜ，よくなじむように練和します．グラスアイオノマーセメントは粉末を 2 分割し，1/2 ずつ液と混ぜ，なじみをみながら残りの粉末を加えていきます.

4 練りむらがなくなるように，一方向からだけでなく，いろいろな方向から垂直に交差するように練和し 7 ，均一なペースト状に練っていきます 8 ．

練りあがりの目安は紙練板からスパチュラで持ちあげたセメントがすぐに落ちずに糸を引く程度とします．

※仮着用の水硬性セメント（ハイボンド®テンポラリーセメントなど）は，この基準にあてはまらず，もっと軟らかく，さらっとした状態が練りあがりの目安です．

5 練和したセメントを，補綴物の内面にむらのないように 1 層入れます．スパチュラで入れるのがむずかしいもの，クラウンなど内面の深いものの場合は充塡器や探針を使用して，気泡が入らないように入れます．

6 **術者に渡す**

術者が取りやすいように咬合面を上にして，紙練板または自分の手のひらにのせて渡します.

ペースト・ペーストタイプのセメントの練和

手順

1 **準 備**

ペーストタイプセメント
付属の練板
スパチュラ

2 **計 量**

ペーストは2つ
セットになって
います．それぞれ
のチューブから，
同じ太さになる

ように，ペーストを練和用のパット上にゆっくり絞り出します．長さが決まったら，練板にディスペンサーを直角にして絞りきるようにします．

※2つのチューブの大きさは同じメーカーとそれぞれ違うメーカーがあります．

3 **練 和**

ペーストは色が
違う場合がほと
んどなので，色む
らがなくなるま
で，均一に，すば
やく練和します
～．
このとき，違う向
きに直行するよ
うに意識して練
和すると，早く確
実に練ることができます．

 POINT！ ┈ 2色がむらなく1色になれば練和完了です！

4 **術者に渡す**

補綴物内にセメントを
入れて**8**，Dr. が受け
とりやすいように手の
ひらにのせて手渡しま
す**9**
（Dr. への渡し方はグ
ラスアイオノマーセメント（粉・液タイプ）と同じです）.

オートミックスタイプの取扱い（例：ジーセム®）

手順

1 ジーセム**1**の操作手順は，先端キャップをはず
してからミキシングチップを付け**2**，セットす
るクラウン内面にマルチプライマーを塗布後**3**
，エアで乾燥し**4**，口腔内支台歯に接着強化プ
ライマーを塗布して**5**，クラウン内面にセメン
トを注入して**6**，口腔内にセットしてから光照
射します**7**.

※実際は口腔の支台歯　　　　　　　　　　※実際は口腔内で行う

③ カリエス処置

患者さんが電話で訴える症状の中で「歯が痛い」場合に，患者さんの訴えを正しく確実に聞きとり，その症状に行う治療を把握し，準備をすばやくできるようにしましょう

Caries（カリエス，むし歯，齲蝕，C）の進行

むし歯の進行程度	症状	カリエスCaries		状態	麻酔の有無	対処法（治療法）
↓ 重度	自覚症状はない	CO		白斑，脱灰	×	ブラッシング指導 フッ化物塗布
	無症状，水にしみる	C_1		エナメル質内のみのむし歯	×	シーラント CR充填
	水にしみる．甘いものにしみる．たまに痛む	C_2		象牙質にまで至るむし歯	△	CR充填 覆罩
	お湯にしみる．ズキズキする．ずーっと痛む	C_3		歯髄にまで至るむし歯	○	抜髄
	痛む．腫れる．食べ物がはまると痛む	C_4		残根状で歯冠部がない根のみ	○	ほとんどは抜歯

■CO（Caries observation：経過観察）（保険用語の略称に準じる）

小窩裂溝が着色したり，歯面に白斑が見られるが，まだむし歯にはなっていない状態．

フッ化物塗布
要観察

■C_1

エナメル質内にとどまる軽度のむし歯．無症状か，たまに水などにしみたりする程度．

エナメル質
象牙質

シーラント
CR 充填

麻　酔
不　要

■C_2

象牙質にまで進んだ中程度のむし歯．水にしみる，甘いものにしみる，たまに痛むなどの症状があります．

エナメル質
象牙質
歯髄（神経）

CR 充填
覆　罩

麻酔必要な
場合あり

■C_3

歯髄にまで至るむし歯．お湯にしみる，ズキズキする，ずーっと痛むなどの痛みが出てくる状態です．

抜髄

麻　酔
必　要

■C_4

残根状．痛む，腫れる，食べ物がはまると痛むなどの症状が出ます．歯冠部はむし歯でなくなり，歯根のみ残っている状態で腫れていることもあります．

歯根

ほとんどは
抜歯

麻　酔
必　要

CHAPTER 7 カリエス処置

齲蝕の検査法

　視診，触診，X線検査などで，齲蝕の進行度の判定や主訴で考えられる疾患との鑑別診断を行います．

　従来，探針による触診が多用されましたが歯質を損傷する可能性があり，使用されなくなっています．

■検査と使用器具

- ●視診・触診：ミラー
- ●X線検査：デンタルX線写真
- ●歯髄診断：電気歯髄診断器（パルプテスター®，デジテスト®），歯の冷却剤（パルパー®）など．

予防充塡（シーラント）

　歯の溝を削らずに，咬合面の小さな穴（小窩）や溝（裂溝）を予防塡塞材で閉鎖する方法で，C_1 のときなどに応用します．光重合レジンを使用します．

　（なお，保険用語では「初期う蝕早期充塡処置」といいます）

小窩，裂溝

咬合面（└6：左上第1大臼歯）

シーラントの手順

1 **準備**
光重合照射器
予防充填剤
（ティースメイト®）

予防充填剤（ティースメイト®）　光重合照射器

2 **歯面清掃・研磨**
小窩（小さな穴状のへこみ）と裂溝（咬み合わせ面の溝）をポリッシングブラシなどで清掃する

3 **エッチング**
（小窩裂溝の酸処理）

エッチング剤
（K-エッチャントGEL®）

4 **シーラント充填**

予防充填剤

5 **光重合**

光重合照射器
（G-LITE®）

カリエス処置の流れ

初期のむし歯（C_1，C_2）程度だと麻酔を使わなくても治療できることもあります．

① 齲窩の開口

見た目の表面は小さなむし歯でも，中で広がっていることが多いので，まず中がある程度みえるよう表面をタービンバーで開口します．

② 軟化象牙質の除去

むし歯で軟らかくなった象牙質をラウンドバーやスプーンエキスカーベータで除去します．

☞ カリエス検知液：除去すべき軟らかい象牙質かどうかはっきりしないときに使う検知液です．

むし歯の部分をいったん乾燥させ，この液で染めてから水洗，乾燥後に色がついていれば，それは感染象牙質として除去しなければなりません．

③ 歯髄覆罩

むし歯が大きく深いときはむし歯の底に神経（歯髄）を保護するセメントなど（歯髄覆罩材）を入れることです．

（現在のコンポジットレジン〈CR〉は歯髄刺激作用が少ないので深い窩洞以外ではこの操作を行わないことが多い）．

歯髄覆罩材：
グラスアイオノマーセメントなど
（例：ライニングLC® など）

シリケート充填器

覆罩剤を填入する際に使用します.

先端の形状

4 ⬛ **形　成**

型どり（印象）してインレーやクラウンを作るか，コンポジットレジン（CR）を充填するか選択して治療します.

5 ⬛ **印象** または **充填**

> **わたしの歯科医院では？**

コンポジットレジン（CR）充填　手順

Ｄｒ の 手 順	
CR充填は C_1，C_2などのむし歯をコンポジットレジンで充填することです．	
1 麻酔（表面麻酔(OA)．浸麻） 初期のむし歯（C_1，C_2）程度だと麻酔を使わなくても治療できることもある．	表面麻酔薬 注射器
2 齲窩の開口 見た目の表面は小さなむし歯でも中で広がつていることが多いので、ます中がある程度みえるよう表面をタービンバーで開口する．	タービン用バー MIバーなど
3 軟化象牙質の除去 むし歯で軟らかくなった象牙質をラウンドバーやスプーンエキスカーベータで除去する． カリエス検知液を使って染まっている部分の象牙質を除去する（魚の鱗のように取れる）．	ラウンドバー スプーンエキスカベータ 　（略称：スプーンエキスカ，エキスカ） カリエス検知液 ADゲル（齲窩消毒剤）
4 歯髄覆罩（覆髄） むし歯が深く，歯髄に近い揚合はライニングLC®などのグラスアイオノマー系などのセメントで覆罩する．	シリケート充填器 グラスアイオノマーセメント アイオノジット®など

歯髄覆罩材：グラスアイオノマーセメントなど
（例：ライニング LC®など）

準 備 器 材 等

表面麻酔

ジンジカイン
ゲル®

注射器

バキューム操作を
行う

MI（Minimal Intervention）バー：
通常より径が小さく最小限の侵襲で
むし歯を治療できるバー

スプーンエキス
カベータ

（先がスプーン状）
先がスプーン状
で大小の種類が
ある

AD ゲル®

軟化象牙質除去後に窩洞を
消毒するために使用する

ラウンドバー

カリエス検知液

シリケート充塡器：覆
罩剤を塡入する時に使
用する

アイオノジット®

145

| **5 ボンディング＋光照射**
1 液または 2 液のボンディング剤を歯面に塗布後エアブローしてから光重合器で光照射 | ボンディング剤
光重合照射器 |

| **6 色合わせ（シェードテイキング）** | シェードガイド |

| **7 CR 充塡（コンポジットレジン充塡）**
充塡時の「流れ」によって 3 種類のCR がある.
●ローフロー（流れない）
●ミディアムフロー（中間）
●ハイフロー（流れがよい）
　　　窩洞によって使い分ける. | コンポジットレジン
シリケート充塡器 |

| **8 光照射（光をあてて硬める）** | 光重合照射器 |

| **9 研磨** | 咬合紙
咬合紙ホルダー
レジン研磨用ポイント, ディスクなど
隣接面研磨用ストリップス |

準 備 器 材 等

ボンディング剤と
照射器を用意する

光重合照射器

各種シェードガイド

CR（：コンポジットレジン）を
手渡す

CR（：コンポジット
レジン）

照射器を手渡す

光重合照射器

咬合紙とホルダー

① ②

①，②の使用法があるが②のほうがホ
ルダーの軸上に咬合紙があるため使用
しやすい.

研磨用バー

研磨セット

研磨用ストリップス
（プラスチック）

④ 歯内処置 /Endodontics
（エンド）　　（エンドドンティクス）

むし歯が歯髄（神経）まで進行して歯髄が変性し，炎症を起こしてだめになってきたときに行う処置です．抜髄，感染根管処置，根管治療，根管充塡などの処置が含まれています

症状の進行と処置法

歯内処置の流れ

生活歯か失活歯かを見分ける
X 線，EPT（電気歯髄診断器）

C₂，C₃，Pen

生活歯（Pul）	②	失活歯（Per）
抜　髄		**感染根管処置**

麻酔必要   麻酔の必要はないがまれに EPT に反応しない場合や X 線で根尖病巣がある場合でも残根状態のことがある

EMR ③ **EMR**

根管治療（根治） ④ **根管治療（根治）**

根管充塡 ⑤ **根管充塡**

根管充塡

X 線撮影 ⑥ **X 線撮影**

歯内処置の使用器材

リーマー

根の中を治療するために細いものから太いものまで国際規格で作られたキリのようなものでファイルともいいます．形状から大まかに3種類のものがあります．

リーマー：断面が三角錐の金属をひねった形をしている（記号：▲）

Kファイル：断面が四角錐の金属をひねった形をしている（記号：■）

Hファイル：円錐状の金属にらせん状の切れ込みがある．根管壁にあてて引き上げることで内壁を削りつつ拡大することができる（記号：●）

フィンガールーラー：指につけてリーマーの長さを合わせる物差し

リーマーの太さ

細い ⟶ 太い

シルバー　紫　｜　白　黄　赤　青　緑　黒　｜　白　黄　赤　青　緑　黒

数字が大きくなると
太くなっていくよ

リーマーボックス：
リーマーが収納されたボックス

EMR（イーエムアール）：電気的根長測定器による
根長測定. 根管の長さを電気的に
測定する装置で一方の極を口唇
にフックでかけ, 一方はリーマー
につないで測定します.

EMR 画面

EMR（ヨシダ：JUSTYIV®）

EMR（モリタ：ROOT ZX mini®）

EMR（ナカニシ：ipex
II®）

薬剤洗浄：ネオクリーナー®と H_2O_2 洗浄とミニュームシリンジ®．スメアクリーン®．

ネオクリーナー®

ミニュームシリンジ®

スメアクリーン®

根管（エンド）用ファイル付エアスケーラーと超音波スケーラー

音波または超音波による根管内洗浄装置（根管用ファイル）．

ニッケルチタンファイル用器材（X スマート®とプロテーパー）

X スマート®

ニッケルチタンファイル

少数の Ni-Ti ファイルによる，おもにクラウンダウン法による根管形成を行うシステムで，負荷がかかると逆回転します．

ガッタパーチャ：リーマーと同じく太さが決まっています．

スプレッダー：根管内にガッタパーチャを押し入れ側方（根管壁側）に加圧する器具です．先はとがっています．加圧してできた隙間にガッタパーチャを入れます．

プラガー：根充材を押し入れて根尖方向に圧接する器具です. 先は平らになっています. あたためて使用することもあります.

●ニッケルチタン（Ni-Ti）ファイル用器材と根充用器材

X- スマートプラス®：根管用ファイル等を回転，反復運動させることにより，根管を拡大形成します.
各社のトルク設定が可能.

ガッタコアシステム：左側の機材で，右側の専用のガッターを加熱して根充するシステム

トライオート mini：コードレスのハンドピース
オートトルクリバース，ツイストモードなどの機能を有し，専用の根長測定器を組み合わせると根長測定しながら根管の拡大ができます.

Ｄｒ．の手順

抜髄

歯髄炎（C$_2$，C$_3$ 〜）
となり痛みが出る場合に行われる処置です
（症状）：あたたまると痛む，熱いものでもしみる，何もしなくてもズキズキする

感染根管処置

歯髄病変（C$_3$，C$_4$）
歯髄が失活しているか，Ｘ線で病巣が認められる場合などに行われる処置です
（症状）：痛む，腫れた，根の先のほうから膿が出るなど

歯髄診断器

根尖病巣

麻酔
浸潤麻酔

注射針
・注射器

齲窩の開口・拡大／軟化象牙質の除去

歯冠部歯髄の除去

タービンバー，
エンド用バー，
ニッケルチタン
ファイル

根管口明示

根管の入り口を明確に見えるよう拡大し，リーマーが入りやすいようにする

X-スマートプラス®

準 備 器 材 等

電気歯髄診断器
微弱電流を使用して，歯髄が生きているかを診断する装置．使用するときはチップの先端にペーストをつける

デジテスト®
（電気歯髄診断器）

ハンディタイプの歯髄診断器

👉 **歯内処置の開口部分の大きさの概略と根管口の位置および数**
綿栓はこの根管口の数に応じた数が必要になります．

開口部分の大きさ　　　　　　　　**根管口の位置・数**

1 根管

上顎

2 根管のことが多い

1 根管

※4 根管のことあり

3 根管

3 根管

※4 根管のことあり

下顎

1 根管

抜髄

抜髄針やヘッドストロームファイルで歯髄を取る

抜髄針，リーマー

根管長測定

根長測定器（EMR）やX線で根長を確認

EMR
エンド用バー
ニッケルチタン
ファイル

根管治療

根管拡大

根管充塡しやすいように，リーマーの太さを上げて，根管壁が白く硬い象牙質となるまで拡大形成する

リーマー

根管洗浄

根管内をネオクリーナー®，H_2O_2などで洗浄する

綿栓

根管用洗浄
エンド用ファイル
（p.152参照）
シリンジ
綿栓

根管貼薬

薬剤などを綿栓につけて貼付する

根管貼薬剤
綿栓

仮封

仮封材
綿球

準 備 器 材 等

EMR

（モリタ：ROOT ZX mini®）　　　（ナカニシ：ipex Ⅱ®）

リーマーボックス　　　　　　ミニュームシリンジ®

ネオクリーナー®，H_2O_2 など
ミニュームシリンジ（薬剤での洗浄に使用する．ガラス製品なので取扱いには
注意が必要）

根管（エンド）用ファイル
付エアスケーラーと超音波
スケーラー

ネオクリーナー®　　　アンチホルミン®　　スメアクリーン®

FC など

水硬性仮封材など（例：ハイ-シール®）

根管充塡（根充）

根管内や根尖病変が落ち着いたら，根管充塡材（根充材：ガッタパーチャ）を根管内に緊密に入れて根管の封鎖を行う

側方加圧根管充塡（側方充塡：ラテラル）

ガッタパーチャ
エンド用ピンセット
シーラー
スプレッダー
プラガー

垂直加圧根管充塡（垂直加圧：バーティカル）

根管充塡

ガッタパーチャ
ペーパーポイント
シーラー
ガッタパーチャキャリア
エンド用ピンセット
プラガー
ガッタパーチャ溶解剤
根管バキューム

X線撮影

根充後の確認のために行う

X線撮影用
インジケーター

デンタルフィルムホルダー

X線フィルム
またはイメージング
プレート（IP）など

準 備 器 材 等

シーラー　　　　　　キャナルス®　　　　キャナルシーラー®

ガッタパーチャ
ポイント

スプレッダー

※先が尖っている

ペーパーポイント　　　　　　　　　　綿栓

プラガー

※先は平らになっ
ている

デンタルX線撮影の準備

コーン

綿栓の作り方

綿栓は根管治療に根管内を乾燥させたり，貼薬をするときに使用します．綿栓のかわりにペーパーポイントを使用することもありますが，コストがかかるので，綿栓を使用している診療室が多いです．

手順

1 器材の準備

　ブローチとブローチホルダー1を準備します.

ワッテの下準備をします

2 適量のワッテ*を左手に持ちます（2）.

> *ワッテとは，歯科用の四角形の綿です．滅菌されています

3 半分にちぎり3，2つにしたうちの繊維のケバ立っているほうを右手でつまみます4.

4 綿栓にする量を右手でつまみ取ります．細い綿栓のときは少量，太い綿栓が必要なときは多めに取ります5.

ワッテをブローチに巻きこみます

5 ▶ **5**で取った繊維を手に持ちかえ，その中央にブローチを置き，ここを基準として半分に折り込みます**6**.

6 ▶ 折り込んだ底辺部分をブローチに垂直に置き換え**7**，左人差し指と親指でブローチに綿を巻き込みます**8**.

このとき，先端に向かい円錐状となるよう，右手のブローチも回転させながら作ります**9**.

仕上げを行います

7 ▶ 繊維のケバを取るため，火炎であぶり，形を整えて完成です**10**.

8 ▶ 完成した綿栓**11**.

※ペーパーポイント（既製品）を使用することもあります.

⑤ 抜　歯

抜歯時に準備する器具を確実に覚えておきましょう．とくに抜歯鉗子は使用部位によって形状が異なるので注意が必要です

普通抜歯

■普通抜歯で準備する器具

- 基本セット（p.60 参照）
- 表面麻酔薬（OA）（p.90 参照）
- ヘモスタット（p.167 参照）
- 注射器（①）
- エレベーター（②）
- 鉗子（③）

- 外科用ピンセット（④）
- 外科用鋭匙（⑤）
- 生食水（シリンジ）（⑥）
- スポンゼル（⑦）
- 滅菌ガーゼ（⑧）

①注射器

⑦スポンゼル
②エレベーター
⑧滅菌ガーゼ
③鉗子（下顎用）
④外科用ピンセット
⑤外科用鋭匙
⑥生食水（シリンジ）

エレベーター
抜歯のときに歯を歯槽骨から浮かせるために使用する器具

直
　細
　太

曲
　細
　太

（先端の形状）

ヘラ型

ルートチップ（残根用エレベーター）

左右でセット
になっている
ものがある

163

鉗子

歯をつかんで抜くためのプライヤー（YDM 提供）

前歯用

上顎用
基本的に
先が 2 回曲
がっている
（前歯用を除
く）

小臼歯用

大臼歯用はつめ
付きとつめなし
がある

大臼歯用

つめなし

前歯小臼歯用

下顎用
先は L 字
に 1 回しか
曲がって
いない

大臼歯用

大臼歯用はつめ
付きとつめなし
がある

つめ付き

智歯用
（#66）

残根用鉗子

上顎用：先が 2 回曲がっている

下顎用：先は L 字型に 1 回しか曲がっていない

破骨鉗子

※このほかに乳歯鉗子があるが，残根用鉗子で代用できる

骨ヤスリ

外科用鋭匙（えい ひ）

抜歯した後の骨の中にある肉芽（にくげ）をきれいにするためのスプーン状の器具．カリエス処置のときに使うスプーンエキスカベーター（0.5 〜 1.0mm）よりスプーンの形が大きい（3 〜 4mm）のが特徴です．

（ヒューフレディ社）

外科用ピンセット

つまむ先が外科用の鋭匙の先と同じようにスプーン型となっていて，ピンセットで肉芽をつまんで取れるようになっています．

縫合用ピンセット（コーン スーチャープライヤー）

薄い歯肉を縫合する（ぬう）ときに使うピンセットで糸を抜くことができるように，先に溝がついています．

ヘモスタット（止血鉗子）

通常のチェアサイドでの外科処置では，文字通り止血用に使用するのではなく，肉芽や歯肉弁をつまんだりする操作に使用します．先が直と曲の2種類あります．

ヘモスタット直　　　　　ヘモスタット曲

ティッシュプライヤー（有鉤，鉤なしの2種類がある）

ティッシュフォーセップス

有鉤

Dr. の手順	アシスタント内容

① 全身状態のチェック

血圧計　　　　　　　パルスオキシメータ

② 表面麻酔（OA）
綿球に表面麻酔薬をつけてトレー上に用意する．Dr. が粘膜に塗布して2分程度待つ．この時，ただ塗布しただけでは効果的ではないので綿球につけた表面麻酔薬をポール綿などで粘膜に十分に圧接しておく

ジンジカインゲル

③ 浸麻・伝麻（注射麻酔）
麻酔が効いてくる間の数分待つ

表面麻酔している間に注射器の用意

注射器
麻酔が効いてくる間に抜歯器具の用意（p.162 参照）

④ 抜歯

止血を待っている間に「術後の出血への対処法」や服用薬の具体的説明

ステラーゼ®
患者さん
おもち帰り用の
減菌ガーゼ

終了

■抜歯後説明用ツール

抜歯したあとは患者さんに当日以降の生活の注意などを説明するとともに次のような注意事項を示したパンフレットを渡すとよいでしょう

歯を抜いたあとに　守っていただきたいこと

1. 血が止まるまでは、なるべく安静にして下さい。
   刺激によって出血、腫れ、痛みなどが起こることがありますので、当日は、入浴、飲酒、刺激物や固い食物、激しい運動、強くつばをはくことはさけて下さい。

2. うがいは血が止まってからぬるま湯などで、ゆっくりふくむ程度にして下さい。

3. 痛みが感じられる様でしたら、使用法にしたがい指示通り痛め止めをお飲み下さい。もし何か異常（腹痛、下痢、湿疹など）が感じられたら、すぐそれ以上飲むのをやめて下さい。

4. もし、あとからまた出血した時は、きれいなガーゼか紅茶または緑茶のパックを15～20分ほど出血部位にあて、ぎゅっとかんで下さい。

5. 傷口はバイ菌が入りやすく化膿しやすいので、よごれた手指などでふれないようにして清潔に保って下さい。

おだいじに・・・

歯科医院名：

住所：

電話番号：

術後の注意事項を示したパンフレット

難抜歯
<small>なんばっし</small>

■難抜歯とは

埋伏歯や残根の場合，歯や歯根を分割したり，歯槽骨を削ったりして抜歯することがあります．これを難抜歯といいます．

例：埋伏歯の難抜歯例

切開

フラップ弁剥離

術前

分割

歯冠部除去

歯根部除去（抜歯完了）

縫合部（難抜歯完了）

■難抜歯で使用する器具

C_4 などの残根, 曲がった歯根, 埋伏歯などは, 歯肉弁を開き歯槽骨を露出させて骨を削ったり, 歯根を分割してからでないと抜歯できません. このような手間のかかる抜歯を, 難抜歯といいます. 普通抜歯の器材に加えて, 次のような器具が必要です.

替刃メスホルダー

替刃メス

No11　No12　No12B　No15　No15C

歯肉剝離子（剝離子）: 歯肉を歯槽骨から剝がして骨の縁や外側面を見やすくするための器材でほとんどに大小の大きさがある

ゴールドマンフォックス 14®（ヒューフレディ社）

ハーシュフェルト 20®（ヒューフレディ社）

破骨鉗子：尖った骨などをつまんで除去する

持針器（じしんき）：糸付針をつかんで縫合（ほうごう）するための器具

シーザータイプ（はさみタイプ）

（ホルセイ 5037® 〈ヒューフレディ社〉）

ジョーはクロスメッシュ
になっている

※他にカストロベージョタイプ（細い針に使用する）がある

〈英語読みではカストロビエホーなどいろいろなよび方がある〉

歯肉バサミ：歯肉弁を調整するためのハサミ

GF16（ゴールドマンフォックス 16®）

ラグランジェタイプ

刃部がS字状に彎曲している

カストロベージョタイプ

やわらかい板バネのついたハサミ

172

伝麻用注射器, 伝麻注射針（必要に応じて）

鉤

※カートリッジのピストン部にカートリッジ後部のラバーにくい込む鉤やスクリューが付いている

ラウンドバー（骨削用）　大・中・小

骨の形を整えるためにコントラにつけて使用するコントラ用スチールバーを滅菌して外科用として用意しておく

大　中　小

タービンバー（分割用）

ロング, 普通サイズ, 短め
タービンバーも滅菌してガーゼなどを巻いてパックしておく

① ② ③

① TK ロングバー
② TK ロングバー（短め）
　　※自院でカットして作成
③ タービンバー（TR-2）

残根用エレベータ（X ツール®）

⑥ 歯冠修復

むし歯治療のために入れるインレー（形成してから作る詰め物）や根管治療術後や大きめのむし歯治療のために歯にかぶせるクラウン（冠）など歯冠をもとの形にしたり，機能を回復させる治療法です

歯冠修復の流れ

生活歯（せいかつし）
歯髄が生きている歯

→ 浸　麻

失活歯（しっかつし）
根管治療後の歯

→ **メタルコア：**型どりしてから金属を鋳造して作る
金属コア

→ **レジンコア：**コア用レジンで作られた土台（コア）．口の中で直接コアを作る
コア用レジン
ファイバーポスト

→ コア用レジン＋ファイバーポスト

→ コア用レジン＋金属のピン（スクリューピン，スクリューポスト）

歯冠修復の種類

レジン充塡（CR：コンポジットレジン）

CR

窩洞形成：
インレーやレジン充塡のために歯冠の一部を削ること

インレー（In）：
歯冠の一部を型どりして修復する方法

（In：保険用語としての略号にはない）

レジンインレー
ポーセレンインレー
メタルインレー

3/4冠：前歯の4面のうち唇側を残した他の3面を削っていれる金属冠

4/5冠：小臼歯，大臼歯で頬側面を残し，他の面を金属で覆う修復方法

形成（プレパレーション）

クラウン（Cr）：
歯冠の大部分を削り歯冠を覆う修復方法

フルクラウン（全部被覆冠）：歯冠部を全面的に人工物で覆うもの．金属冠，前装冠，CAD/CAM冠，ジャケットクラウンなどがある

ブリッジ（Br）：
原則として欠損部の前後の歯に橋をかけて機能や咬み合わせを回復させる方法

金属冠

CAD/CAM冠

形成（プレパレーション）と印象の流れ

Dr の手順	
① 歯冠形成	表面麻酔（OA）， 注射器 タービンバー
② 歯肉圧排	ジンパック® ジンパッカー®の準備
③ 印象採得	トレー 印象材 ・寒天＋アルギン酸 ・シリコン印象材 　など
④ バイト（咬合採得）	バイト用ワックス バイト用シリコン 　など
⑤ テンポラリー［クラウン　作成 　　　　　　　　　［ブリッジ （TEK：テック／保険用語：TeC）	既製冠 即重レジン （ユニファスト®など） 仮着材

準備器材等

レギュラー

ファイン
全体が金色になっていたり
黄色のラインなどが入っている

ジンパック®

ジンパッカー®

※ジンパッカー先端拡大

トレー

寒天コンディショナー

寒天

アルギン酸　　印象採得後

バイト用シリコン

インジェクション
タイプのバイト用
シリコンの注入

採得直後の
シリコンバイト

ユニファスト®

即重の筆づみ法

7 義　歯

義歯は，歯のない部分に入れる補綴物で，ブリッジでは治療できないような多数歯欠損部に適用されるのが基本です．義歯には局部床義歯（部分入れ歯）と総義歯（総入れ歯）があります

補綴物の種類

種類	形態
クラウン（冠）	
ブリッジ	
局部床義歯　レジン床　金属床	
総義歯（全部床義歯）　レジン床　金属床	

補綴物

義歯

義歯各部の名称

クラスプ
クラスプ（歯にかけるバネ）
人工歯
連結子
レジン床

クラスプ（鉤）

ワイヤークラスプ（線鉤）：
ワイヤーを曲げて作ったクラスプ

キャストクラスプ（鋳造鉤）

エーカースクラスプ（レスト付2腕鉤）：
最も一般的なクラスプ

鉤腕（こうわん）
レスト
鉤尖（こうせん）

RPIクラスプ：
おもに臼歯欠損部の最後方歯に使用されるクラスプ

アイバー
隣接面板
近心レスト

コンビネーションクラスプ：
鋳造鉤と線鉤の両方を使用した
クラスプ

179

チェアサイド	
1 予備印象	アルギン酸印象材の練和
2 本印象	各個トレーに接着材を塗る
	印象材の練和
3 バイト（咬合採得）	ろう堤　　　　　　　ワックススパチュラ
	ワックス用プレート　咬合平面板

準備器材等	技工操作

アルギン酸印象材

模型作製
トリミングを行う

各個トレーの作製

本模型作製
トリミング

ろう堤の作製

咬合高径測定用ノギス　　技工用ノギス

シェードガイド
(VITA シェード)　　　　バーナー

チェアサイド	

4 試適

バーナー
ワックススパチュラ
アルコールトーチ®

5 セット（義歯装着）

技工用カーバイドバー
ビックポイント

6 義歯調整

スリービークプライヤー（3又）
バードビークプライヤー（2又）
技工用カーバイドバー
ビックポイント
レーズ
研磨材（磨き砂）

研磨材

準備器材等	技工操作

バーナー　アルコールトーチ®

ワックススパチュラ

アルコールは燃料用アルコール（メタノール）を使用する

人工歯配列

技工用
カーバイドバー　フィットチェッカー®
アドバンス

ビックポイント

義歯作製

完成義歯

みつまた
3又

ふたまた
2又

スリービークプライヤー　　バードビークプライヤー

技工用
カーバイドバー

ビックポイント

レーズ

ホイール3種類

馬毛　布バフ　シャモイス
ホイール

CHAPTER
7
義
歯

義歯修理 手順

Dr. の手順	
① 義歯洗浄	超音波洗浄器 ラバラック D ®
② 義歯の破断面に新たな面を作る	技工用カーバイドバー
③ 破折面の修復 重合	ユニファスト：赤 （即時重合レジン：赤） パーマポット UP- Ⅲ など
	筆づみ
④ 研磨，調整	技工用カーバイドバー ビックポイント レーズ 研磨材（磨き砂）

準備器材等

義歯洗浄

ラバラックD®

超音波洗浄器

破折義歯

この義歯は破折部にすでに二本の補強線が入っている.

技工用
カーバイドバー

圧力釜
(パーマポットUP-Ⅲなど)

ニッパー

補強線（補強芯）

技工用
カーバイドバー

修理後の義歯

補強線を入れても同じ破折を繰り返す場合は咬合をチェックする必要がある.

レーズ

CHAPTER 7 義歯

リベース　手順（保険用語：有床義歯内面適合法）

Dr. の手順		
1	義歯洗浄	超音波洗浄 ラバラックD®
2	義歯の内面を新たな面とする	技工用カーバイドバー
3	接着剤塗布	接着剤
4	内面のリベース	リベース材 義歯除去用鉗子
5	重合	硬化促進剤とお湯 パーマポットUP- Ⅲなど
6	研磨，調整	技工用カーバイドバー ビックポイント レーズ

準備器材等

義歯洗浄

ラバラック D ®

超音波洗浄器

リベース前の義歯

技工用
カーバイドバー

T コンデしたときの義歯

接着剤

接着剤塗布直前の内面を新たにした義歯

リベース材の
練和

デンチャーライナー ®

義歯撤去用鉗子

デンチャー
ライナーの
硬化促進剤

パーマポット UP- Ⅲ など

リベース後のレジンを温水中（熱めのお風呂程度のお湯）につけつつ圧力（およそ 1.2 気圧）をかけて重合

技工用
カーバイドバー

レーズ

研磨調整後の義歯

補綴（クラウンブリッジ・義歯・総義歯）治療に使用する器材

補綴用器材

❶リムーバー
クラウンやブリッジを口の中から撤去するときに，補綴物に引っかけて使用する

❷テンポラリークラウン撤去用鉗子（タオルクランプの長いもの）
テンポラリークラウンを除去する際に使用する

❸リムーバブルプライヤー（GC）
金剛砂を使用して，クラウンなどの補綴物を口腔内から撤去するのに使用する

金剛砂

❹厚さゲージ（キャリパー）
補綴物調整時などにクラウンなどの厚さや薄さを測定する器材

❺咬合器
技工作業の際，口腔内の嚙み合わせを再現するための器材で，咬合診断にも使用する

インサイザルピン

インサイザルガイド
（パナデント咬合器®）

補綴用器材

❻フェイスボウ

歯列の咬合状態を咬合器に写し取るための装置

ノーズピース

ドライバー　バイトフォーク

❼インプレッショントレーコンパウンド®

現在では印象用に使用することはほとんどなく，フェイスボウなどのバイトフォークに使用することが多い

❽コンパウンド®

各個トレー使用時などに不足した辺縁を補うために使用する

❾ユーティリティワックス®

名前の通り，さまざまな用途に使用できるワックス

❿パラフィンワックス®

バイトやボクシングに用いる

筆づみ

即時重合レジン（以下即重レジン）などの使用時に用いる方法で，不足しているテンポラリークラウンや破折義歯などの部分につみ上げていく方法．もう一つの使い方として「練る」方法もある

CHAPTER 7 義歯

写真撮影用機器

初診時や治療内容の記録のために写真撮影を行います．現在はほとんどがデジタル撮影のため，撮影後保存する操作が必要となります．

❶口腔内撮影用カメラ
口腔内撮影専用のフラッシュとセットになっている

❷口腔内撮影用ミラー
反射率のよいガラス製のものは傷つきやすいため，ペーパータオルでこすったり，たわしで洗ったりしてはならない．落とすと割れるので取扱いの際は要注意！

☞ ミラー使用時の注意
実際の写真撮影では，ミラーの温度が呼気の温度より低いと「曇る」ため，ミラーを 40 〜 42℃くらいのお湯につけてから使用する

湯器ちゃん®

❸口角鉤（こうかくこう）
患者さんの口唇を広げるなどのために使用する

❹デジタルデータの保存先
PC またはハードディスク内に保存．説明などの際すぐ取りだせるように患者ごとにファイル名や日付をつけて整理しておく

その他の器材

患者さんに咬合や診療内容をより現実的に説明するために，各種の模型や図を使います．

❶患者説明用模型（咬合・ブラッシング時の説明用）

❷病態説明用模型

❸義歯の説明の見本

（医歯薬出版）

❹インプラント説明用模型

技工に使用する器材

補綴治療は必ず石こう模型とワックスを使用します．その際，石こうのバリを取ったりワックスの形成をするための器材です．

❶石こう鉗子
トレーから模型をはずすときなどに，石こうのバリをつかんではさみ取る

❷石こう刀
石こうのバリの除去などに使用する

❸エバンス刀
一方は刃型，反対側はスプーン型をした万能インスツルメントで，ワックスや石こうの調整に使用する

❹バードパーカー（のナイフ）
替刃の # 25 を使って，技工用に使用する万能ナイフ．非常によく切れるので，替刃の交換はプライヤーを使用して行う

❺ワックススパチュラ
ワックスを溶かすために熱して使用する

診療・技工に使用する器材

仮着材やセメントの付着したインレー，クラウン，ブリッジなどの内面をきれいにするための器材です．

❺サンドブラスター（松風）
サンドブラストを行う装置

👉 サンドブラスト
クラウン，ブリッジなどの内面に残ったセメントなどを，細かい粒子を吹き付けて清掃すること

❻ロンドフレックス®（カボ）
チェアサイドで使用できるサンドブラスターで，タービンのコネクターに連結して使用する

診療に使用する器材

診療用ルーペ
（MiCO ルーペ®〈倍率 2.5 倍〉松風）
裸眼では見えない細部の確認が可能な拡大鏡
作業距離と瞳孔間距離を選べる機種

※記載された製品は代表的な器材であり，新製品に代替わりしているものや，発売中止になっているものがあります

アルギン酸印象材の練和と印象採得

練和の流れ

1 **計量の前に**

アルジネート（アルギン酸塩）印象材の粉末は，計量の前に容器を回転させるなどして空気を含ませ，フワッとさせます（圧接されていると計量の際の粉末量が変化してしまうため）.

■粉末を先に入れる

2 **計量**

粉末は計量スプーン，水は計量カップで使用するトレーに合った量を計量し，ラバーボールに粉末から先に入れます→■ ■（水を先に入れると粉が浮いてなじまない）.

■次に水を入れる

さあ，練和開始です

3 ラバーボールは手のひらでしっかり持ち，ペングリップで把持したスパチュラで粉末と水がなじむよう，初めは静かに手早く混ぜます→■.

■よくなじむように手早く混ぜる

4 全体がなじんだら，ラバーボールを傾けて持ち，スパチュラは手のひらで握るように（パームグリップ）持ちます.

スパチュラの面の部分を使い，ラバーボールの内壁に押しつけるように練っていきます（その際，印象材が1箇所に偏らないように，ラバーボールを回転させながら均一になるよう練る→■）

5 ▶ 練りむらがなく，全体がペースト状になったら，気泡を抜くようにラバーボールの内壁に押しつけて伸ばします→5.

6 ▶ 練り上がったら，ラバーボールを回しながらスパチュラを起こして印象材を1箇所に集め，トレーにすばやく盛ります→6 7 8 9.

4   5   6

7   8   9

7〜9下顎のトレーへのアルジネート印象材の盛りつけ，上顎は一塊にして盛り，下顎は左右2分にして内側から盛りつける（詳しくはp.196 →『印象採得』参照）

自動練和器で練る方法もあります

自動練和器
（SPINKLE II ®〈モリタ〉）

わたしの
歯科医院
では？

....

....

....

....

義 歯—アルギン酸印象材の練和

■印象採得と嘔吐反射に対する処置

　印象は模型の作製からインレー，クラウンなどの修復物，補綴物を作るためにどうしても必要なステップです．

　確実な印象は診療効率を高めることになるので歯科衛生士としてしっかりマスターしましょう．

印象採得の流れ

（上顎）

① トレー試適

練和前にトレーを試適し，患者さんの口腔内で骨瘤に当たる個所がないか確認しておきます（**1**）.

（下顎）

上顎の場合はトレーに一塊として盛ります（**2**～**4**）.

② 印象剤の練和

印象材を練和します．

下顎の場合は，左右2回に分けて内側からトレーに盛り付けます（**5**～**7**）.

（上顎）

採得の前に

トレーを口の中に入れる前に，印象しにくい場所（臼歯部など）にあらかじめ指で印象材を塗りつけておきます（8・9）．

（下顎）

トレーを患者さんの口腔内にいれます

トレーのハンドルの中央を患者さんの正中（顔の縦中心のライン）に合わせ，後ろ（臼歯部）から前（前歯部）へ歯と歯肉に圧接します（10 11・12〜13）．

口の中に入れたトレーの上から口唇をかぶせます．このとき，印象材がトレーと口唇の間を満たしていることを確認します（14・15）．

横から入れて後ろから前にトレーを圧接する．

（上顎）

 6

印象材が硬化するまでトレーを保持します（16・17）.

 7

硬化確認

印象材の硬化の程度を確認します（18・19）.

（下顎）

トレーを撤去します

8

スナップアウト

十分硬化していたら，後方（臼歯部部分）を先に浮かせ，次に前方を浮かせて，すばやく口腔内から取り出します（スナップアウト）（上顎20～22・下顎23～25）.

はずすときも
後ろ→前

 トレーは入れるときもはずすときも，後ろが先で前があとです.

9 **チェック**

印象が正しく採れているか，先生のチェックを受けます（26）.

10 印象材が患者さんの口の周囲や口腔内に付着していないか確認し，付いていれば湿らせたワッテかティッシュペーパーで拭き取ります（27）.

 「ワッテ」はカット綿のことを指します．

●印象採得時の注意事項
・ドロドロでやわらかい状態の印象材を口腔内に入れない．
・印象材をトレーに盛りすぎない．
・下顎から採得し，患者さんに慣れてもらう．

盛りすぎない！

●嘔吐反射時の対応
・患者が嘔吐反射（吐き気）を起こしたら，すぐにチェアを起こし（水平位では嘔吐反射は収まらないため），前かがみにさせて鼻呼吸をしてもらいます．
・2分程度で固まることを説明し，患者さんの気をそらすよう声かけします．
・唾液が流出してくるので，ティッシュペーパーを渡し，本人に唾液の流出を受けとめてもらいます．

シリコン印象材の種類と練和・印象

■種類

●レギュラータイプ

●インジェクションタイプ

●オートミックスタイプ

オートミックスタイプ印象材 　　　印象材（ハイフロー）

シリコン印象材の練和～印象の流れ

| レギュラータイプ | インジェクションタイプ |

① セットの2本のチューブから適切な長さのシリコンを練板に絞り出します．このとき太さが一定になるようにします．練和紙とチューブの角度が大きくなるほど太さが不安定になります．

最後はチューブを立てて絞り出したシリコンの端が直線になるように止めます．

2色が均一に混ざるよう全体に練和します．

練和が終わったら

① セットの2本のチューブから適切な長さのシリコンを練板に絞り出します．その際，チューブの角度を小さくして練和紙に沿わせるようにします．

② 最後はチューブを立てて絞り出したシリコンの端が直線になるように止めます．

③ 2色が均一に混ざるよう全体に練和します．

④ シリンジに練和後のシリコンを填入します．

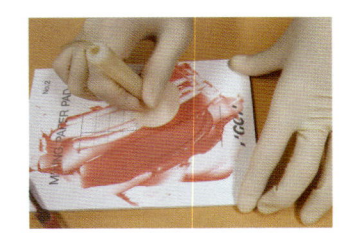

義　歯―シリコン印象材

5 スパチュラでまとめて　　　　　　ピストンをセットして

6 接着材を塗った各個トレーに均一に盛ります.　　気泡を出し，シリンジの先端からシリコンが出ることを確認して Dr. に手渡します.

7

口腔内の支台歯周囲にシリンジでインジェクションタイプシリコンを押し出します. 次にレギュラーシリコンを持ったトレーを後ろ→前の順で挿入します. 印象材が硬化するまで口腔内で 4〜5 分保持してから取り出します.

●自動練和器

自動練和器の例
（ペンタミックス™3 印象材自動練和器）

オートミックスタイプの取扱い（咬合採得・印象材共通）

手順

1 準備

ガンタイプディスペンサー，オートミックスタイプ印象材，またはバイトミキシングチップ **（印象材用とバイト用のパッケージが同じなので間違わないように注意しましょう）**

2 取付け方

ガンタイプディスペンサーにオートミックスタイプ印象材，またはバイトの溝をあわせてセットします．

3 上部のロックをとじます．
先端のキャップをはずします．

4 チップを装着する前にペーストを少量出してベースとキャタリストが均等に押し出されることを確認します．

5 ミキシングチップを取り
付けます.

6 使用直前にミキシングチップから再度絞り出して
確実に出るか確認します. たまに目づまりして一方
からしか出ないことがあり, その場合はつまりの原
因を取り除いて再度絞り出してチェックします.

7 ミキシングチップの先から安定した量の印象材が
出ることを確認して, Dr. に渡します. インジェク
ションタイプの印象材の場合は, ミキシングチップ
の先に印象用のチップを取り付けます.

1 **はずし方**
ディスペンサー後方のロッ
クをはずして, ピストンを
引き出します.

2 ピストンを最後まで引き戻したら上部ロックを開
きます.

3 ▶ 印象材またはバイトをは
ずします.

4 ▶ はずした後, 固まったミキシングチップははずし
て, 元あったキャップをつけておきます.

わたしの
歯科医院
では？

CHAPTER
7

義　歯—オートミックスタイプ

石こうの取扱い

石こうは歯科用模型を作るために不可欠な材料です．用途に応じて4種類の石こうが使われています．混水比がそれぞれ違うので特性を理解して使用しましょう．

■石こうの種類と用途

種　類	用　途	水（mL）:粉（g）の比率	製品名	写　真
普通石こう	対合歯用模型や咬合器付着などに使用	40：100	歯科用焼石膏®普通石膏®など	
硬石こう	クラウン，ブリッジ，義歯など	23〜24：100	ニュープラストーンⅡLE®ニューサンストーン®など	
矯正用石こう	矯正用模型作製のための石こうで，白く石こうのきめが細かい	23〜24：100	ニュープラストーンⅡ®ホワイト　など	
超硬石こう	クラウン，ブリッジ，義歯など	20：100	ニューフジロック®ノリタケスーパーロックEx®など	

水と粉の比率

石こうの硬さが上がるほど，使用する水の量は少なくなります．超硬石こうの混水比は，普通石こうの1/2ですから，普通石こうに使用する水の量の感覚では多すぎることになります．本来の硬さを求めるためには，水と粉を計量して練和するのがベストです．

スパチュラ：石こうやアルギン酸印象材を練るヘラです.
石こう用スパチュラ：ヘラが平行でまっすぐなもの.
アルギン酸用スパチュラ：図のように非対称形で石こうスパチュラよりも硬くて腰がある.

石こう用スパチュラ

アルギン酸用スパチュラ

模型作製の流れ

1 **石こうの練和**
真空埋没器に適量の石こうを入れます **1**.

2 石こうの種類（左表）に合った量の石こうと水を入れます **2**.

3 フタを閉めず，水と石こうがなじむまでスパチュラで練和します **3**.

すばやく練和!

4 攪　拌 (かくはん)

攪拌用の羽つきフタを閉め，真空埋没器で攪拌します，.

5 石こうの注入

真空埋没器のスイッチを切り，羽つきフタをはずし，水分を取り除いた印象にバイブレーター上で少しずつ気泡が入らないよう石こうを注入します～.

6 成　形

はずしやすいようにスパチュラで形を整えます.

7 台を付ける場合は，プレート上に石こうを盛り[13]，

8 印象材を注いだトレーを逆さにして，プレート上に盛った石こうに軽く押しつけ[14]，

9 形を整えて終了です[15]．

10 **トリミング**
トリミングします[16]〜[18]．

石こう鉗子

トリンマー：石こう模型のトリミング用装置

11 **完　成**
模型完成[19]

歯科技工所への発注

技工指示書はなるべく細かい指示が必要です. 漏れのないようしっかり記入しましょう.
法律上も担当医の氏名は必要です.

●依頼時の注意事項

・技工物と印象を採った患者さんの名前を間違わないようチェックしましょう.

・技工物の出来上がりの日時は必ず確認しておきましょう.

・次回患者さんが来院する前に出来上がっているよう, 依頼しましょう.

わたしの
歯科医院
では？

① 偶発事故など

失敗は何事にもつきものです．失敗したあとの迅速な行動とその後始末が大事です．

器物落下時の対応

■診療中物を落としたり，大きな音をたててしまったとき

＊「失礼しました」と皆に聞こえるように言う

　これは「申し訳ありません」という気持ちの表現と「自分は大丈夫です」というスタッフ間への2つのメッセージが入っています．その後，今行おうとしていたことを続けるのか，落としてしまった物を片づけるのかの判断をします．

> 日常の生活ではこぼしたり，落とした物をまず片づけるのが普通です．しかし，治療中でたとえばDr.の指示で抜歯中の器具を取りに行っている途中で何かをこぼしたり，落としたりしてそれを片づけていたら指示したDr.は，必要な器具が手元に届かず困ってしまいます．院内では日常とは違う判断が必要なケースがあることを早く理解しましょう．

＊「すみません」などの謝罪の言葉は患者さんの前で言わない

　診療中に自分が何らかのミスをおかしたとしても，患者さんの耳に入る場所でDr.やスタッフに「すみません」などの言葉を発してはいけません．このような言葉を聞くと患者さんは自分の治療に問題が起こったのではないかと不安になります．診療中はとくに周囲の状況を考えた言動を心がけましょう．

　当事者には診療後に人としてしっかり謝りましょう．

失礼
しました！

患者さんの容体が急変したとき

緊急時の対応について院内で事前に話しあっておくことが必要です.

・救急処置に必要な器具と設置場所

酸素ボンベ　設置場所（　　　　　　　　　）

AED　設置場所（　　　　　）

救急薬　設置場所（　　　　　　）

血圧計　設置場所（　　　　　　　　　）

パルスオキシメータ　設置場所（　　　　　　　）

マニュアル　設置場所（　　　　　　　　）

歯科医のための救急処置マニュアル
（医歯薬出版）

・緊急時の対応は Dr. と一番経験のあるスタッフが行い，判断後の指示が最もスムーズに伝わる体制とします.　受付はその場を離れず，いつでも 119 番できるように電話を空けておきます.

📞 1 1 9 番 通 報

119：はい 119 番です.　火災ですか？
　　　救急ですか？

😊 こちらは〇〇歯科医院です.
　　診療中に患者さんが急変したため救急要請をいたします.

😊 住所は＿＿＿＿区＿＿＿＿町＿＿＿＿番＿＿＿＿号の＿＿＿＿前です.

😊 患者さんの状況は＿＿＿＿＿＿＿＿＿＿＿＿＿＿＿＿＿＿です.

😊 電話番号は＿＿＿＿－＿＿＿＿＿＿＿＿です.

　　よろしくお願いいたします.

② 災害時／故障等の対策

災害時（火災，地震…）

- 災害に備えて，各自の役割分担を決め，スタッフ間で打合わせをしておきましょう．
- 地震や火災が発生したら，まず治療を中止してユニットを起こします．そして Dr. の指示に従って次の行動を決めます．
- 患者さんを誘導する避難路を決めておきましょう．
- 消火器を用意し（消防法でも決められています），スタッフ間で位置を確認しておきましょう．

停電など

- 停電になったとき，コンピュータを保護するため予備の自動電源を用意しておきましょう．この用意がないと，コンピュータのデータがだめになることがあります．

無停電電源装置

- 停電時に備えて懐中電灯を準備しておきましょう．できればヘッドランプタイプのものがあると両手を使うことができて便利です．

懐中電灯（手持ちタイプ，ヘッドランプタイプ）

地震がおこったら〇〇して〇〇して……

故障の対応

・故障の場合の連絡先を明確にしておきましょう.

ユニットは＿＿＿＿＿＿＿＿＿＿＿＿＿＿＿＿＿＿＿＿＿＿＿＿

コンプレッサーは＿＿＿＿＿＿＿＿＿＿＿＿＿＿＿＿＿＿＿＿＿

バキューム類は＿＿＿＿＿＿＿＿＿＿＿＿＿＿＿＿＿＿＿＿＿＿

※コンプレッサーのベルトやユニットのライトとタービン用のランプは消耗品です.
予備を用意しておきましょう.

コンプレッサーのベルト　　ユニット用のランプ　　　タービン用のランプ

ユニットライトの裏側

タービン用ランプの交換

わたしの歯科医院では？

....

....

....

....

....

....

....

① 薬 剤

歯科医師や先輩 DH に指示されたらすぐ準備できるよう，薬剤の名前と用途をおさらいしておきましょう！（空欄には自院で使用する薬剤を記入しましょう）

■根管治療薬，覆髄剤

商品名	主成分	用 途	パッケージ・本体
RC プレップ®	EDTA-2Na	根管拡大	シリンジタイプ
スメアクリーン®	3% EDTA	根管拡大	
キャナルクリーナー®歯科用液 10%（通称：キャナルクリーナー）	10％次亜塩素酸ナトリウム	根管清掃	
ネオクリーナー「セキネ」®（通称：ネオクリーナー）	10％次亜塩素酸ナトリウム	根管清掃	
クレオドン®	グアヤコール	根管消毒，鎮痛鎮静効果	
歯科用アンチホルミン（通称：アンチホルミン）	3% 以上次亜塩素酸ナトリウム	根管清掃・消毒	

■根管治療薬，覆髄剤（つづき）

商品名	主成分	用途	パッケージ・本体
ネオグリセロール®	ヨウ素，グリセリン	根管消毒	
ペリオドン®	パラホルムアルデヒド，ジブカイン塩酸塩	根管消毒	
ホルマリン・グアヤコールFG「ネオ」®（通称：FG）	ホルマリン，グアヤコール	根管消毒	
ホルモクレゾール歯科用消毒液「昭和」®（通称：FC）	ホルマリン，クレゾール	根管消毒	
ヨード・グリセリン歯科用消毒液「昭和」（通称：JG）	ヨウ素，ヨウ化カリウム，グリセリン	根管消毒	
カルシペックス®Ⅱ	水酸化カルシウム	根管内への塡入	
カルフィーペースト®	水酸化カルシウム硫酸バリウム精製水，その他	根管充塡	
キャナルス®	散：酸化亜鉛，硫酸バリウム液：チョウジ油，オリーブ油	根管充塡	

CHAPTER
9
薬剤

商品名	主成分	用途	パッケージ・本体
キャナルシーラー®	ユージノール，ロジン，エステルガム，オリーブ油，酸化亜鉛，次炭酸ビスマス	根管充填	
キャナルシーラー® BG multi	A材：脂肪酸，次炭酸ビスマス，二酸化ケイ素 B材：酸化マグネシウム，精製水，カルシウムシリケートガラス，二酸化ケイ素，その他 パウダー：カルシウムシリケートガラス，水酸化カルシウム	根管充填	
プロルート® MTA	粉：酸化カルシウム，酸化ビスマス，二酸化ケイ素，酸化アルミニウム，他 液：精製水	覆髄	
ビタペックス®	水酸化カルシウム，ヨードホルム	根管充填	
カルビタール®	粉：水酸化カルシウム 液：塩酸パラブチル，アミノ安息香酸ジエチルアミノエチル	覆髄 （粉・液で練和）	
ジーピーソルベント®	d-リモネン	ガッタパーチャ用溶解剤 （除去用）	
ユーカリソフト® プラス	ユーカリ油	ガッタパーチャ軟化	
アイオノジット®	グラスアイオノマーフィラー，ポリアクリル酸，ジメタクリレート類，バリウムガラス他	覆髄	

■仮封材

商品名	主成分	用途	パッケージ・本体
テンポラリーストッピング®	ガッタパーチャ ろう 酸化亜鉛等	仮封	
ネオダイン®-α	粉：酸化亜鉛，水酸化カルシウム 液：ユージノール	仮封 （粉・液で練和）	
デュラシール®	液：メタクリル酸エルステルモノマー 粉：メタクリル酸ポリマー	仮封	
PRG プロテクトシール	粉：メタクリル酸エステル重合体，ガラス粉末，反応開始材，その他 液：安息香酸ベンジル，メタクリル酸メチル，反応開始材，その他	仮封	
ハイシール®	水硬性セメント （硬くしぼった水綿球で形を整える）	仮封	
キャビトン®		仮封	
キャビトン®ファスト	酸化亜鉛，硫酸カルシウム，酢酸ビニル樹脂	仮封	

■齲蝕予防薬

商品名	主成分	用途	パッケージ・本体
バトラーフローデンフォームN®	フッ化ナトリウム	齲蝕予防	
フルオール液®歯科用2%	フッ化ナトリウムリン酸	齲蝕予防	
フルオール・ゼリー®歯科用2%	フッ化ナトリウム	齲蝕予防	

■齲蝕進行抑制薬

商品名	主成分	用途	パッケージ・本体
サホライド液歯科用38%®（通称：サホライド）	フッ化ジアンミン銀	齲蝕進行抑制	

■齲蝕検知薬

商品名	主成分	用途	パッケージ・本体
カリエスチェック®	ポリプロピレングリコール アシドレッド 1%	齲蝕検知	
カリエスチェック® （ブルー）	ポリプロピレングリコール 食用青色 1 号 1%	齲蝕検知	
カリエスディテクター®	プロピレングリコール，またはポリプロピレングリコール	齲蝕検知	

■知覚過敏治療薬

商品名	主成分	用途	パッケージ・本体
F バニッシュ®	フッ化ナトリウム 5%	知覚過敏処置，鈍麻	
MS コート ONE®	ナノサイズ MS®ポリマー，シュウ酸	知覚過敏処置	
MS コート F® Hys ブロックジェル	メタクリル酸メチル / スチレンスルホン酸共重合体，しゅう酸，水，フッ化ナトリウム，pH 調整剤（カリウム塩），増粘剤，その他	知覚過敏処置	
グルーマ®CPS ディセンシタイザー	グルタールアルデヒド	知覚過敏処置，鈍麻	

CHAPTER
9
薬
剤

商品名	主成分	用途	パッケージ・本体
サホライド液歯科用38%® （通称：サホライド）	フッ化ジアンミン銀	知覚過敏処置，鈍麻	
シールドフォース®プラス	接着性モノマー	知覚過敏処置，鈍麻	
バーナル®	コーバル樹脂	知覚過敏処置，鈍麻	
ハイブリットコートⅡ®		知覚過敏処置，鈍麻	
ナノシール®	フルオロアルミノシリケートガラス，リン酸	知覚過敏処置	
ティースメイト ディセンシタイザー®	リン酸四カルシウム，無水リン酸水素カルシウム，精製水	知覚過敏処置，鈍麻	
ティースメイト® APペースト	リン酸四カルシウム，無水リン酸水素カルシウム，グリセリン，フッ化ナトリウム，ポリエチレングリコール，その他	知覚過敏処置，鈍麻	

■口腔粘膜治療薬（口内炎）

商品名	主成分	用途	パッケージ・本体
アフタッチ® 口腔用貼付剤 25μg （通称：アフタッチ）	トリアムシノロンアセトニド 0.025mg/錠	限局した口腔内の患部に錠剤を貼付して使用	
アフタゾロン® 口腔用軟膏0.1% （通称：アフタゾロン）	デキサメタゾン 1.0mg/g	口内炎の部分に塗布して使用	
オルテクサー® 口腔用軟膏0.1%	日局トリアムシノニアセトニド，ゲル化炭化水素，カルメロースナトリウム，サッカリンナトリウム水和物など	口内炎の部分に塗布して使用 （従来のケナログに変わるもの）	
デキサメタゾン口腔用軟膏0.1%	デキサメタゾン	口内炎の部分に塗布して使用	
テトラ・コーチゾン軟膏®	塩酸テトラサイクリン 30mg/g， 酢酸ヒドロコルチゾン 10mg/g	口内炎の部分に塗布して使用	
ヒノポロン®口腔用軟膏	ヒノキチオール ヒドロコルチゾン酢酸エステル アミノ安息香酸エチル	口内炎の部分に塗布して使用	

CHAPTER
9
薬
剤

■抜歯窩[※]に使用する薬など （※抜歯窩：歯を抜いたあとの穴）

商品名	主成分	用 途	パッケージ・本体
オキシテトラコーン®歯科用挿入剤 5mg（通称：TC コーン）	オキシテトラサイクリン塩酸塩 5mg/g	抜歯窩の感染予防	
スポンゼル®	ゼラチンスポンジ	抜歯窩の止血	
テルプラグ®	コラーゲン	抜歯窩の止血，創面保護，肉芽形成促進	
サージセル®オリジナルアブソーバブル・ヘモスタット	酸化再生セルロース	創面の止血	

■ PMTC 用器材

商品名または名称	使用法，作り方	パッケージ・本体
プロキシソフト®（通称：スーパーフロス）	歯冠部歯根面の清掃	
ガーゼひも	歯間部歯根面の清掃　大学コメガーゼを丸めて滅菌し，自院で作製する	
歯面清掃器（プロフィフレックス4®）	専用のパウダーで歯面の色素沈着やヤニの除去を行う	
歯面清掃器（エアフローハンディ3.0®）	専用のパウダーで歯面の色素沈着やヤニの除去を行う	

■歯周炎治療薬

商品名	主成分	用途	パッケージ・本体
テトラサイクリン・プレステロン歯科用軟膏®（通称：TCPS 軟膏）	テトラサイクリン塩酸塩，エピジヒドロコレステリン	歯周組織の炎症軽減	
テトラサイクリン・プレステロン歯科用軟膏®/カートリッジタイプ（通称：TCPS）	テトラサイクリン塩酸塩，エピジヒドロコレステリン	歯周組織の炎症軽減	
ヒノポロン®口腔用軟膏（通称：ヒノポロン）	ヒノキチオール，ヒドロコルチゾン酢酸エステル，アミノ安息香酸エチル	歯周組織の炎症軽減	
ペリオクリン®歯科用軟膏（通称：ペリオクリン）	塩酸ミノサイクリン	歯周組織の炎症軽減	
ミノサイクリン塩酸塩歯科用軟膏2%「昭和」®	塩酸ミノサイクリン	歯周組織の炎症軽減	

わたしの
歯科医院
では？

薬剤

CHAPTER
9
薬
剤

■局所止血薬

商品名	主成分	用 途	パッケージ・本体
アストリンジェント	硫酸第二鉄	止血	
歯科用TDゼット®液	塩化アルミニウム，リドカイン，塩化セチルピリジニウム	止血	
ボスミン®外用液0.1%（通称：ボスミン）	アドレナリン，亜硫酸水素ナトリウム	止血	
ビスコスタット®	硫酸第二鉄	滲出液抑制剤（歯肉圧排）	

●自院で使用する薬剤・材料を記入しましょう

商品名	主成分	用 途	パッケージ

■含嗽薬（うがい薬）

商品名	主成分	用途	パッケージ・本体
アズレンうがい液 4%「ケンエー」® （通称：アズレン）	アズレンスルホン酸ナトリウム水和物	洗口	
ポビドンヨードガーグル液 7% ［シオエ］	日局ポビドンヨード 70mg/g	洗口 15 ～ 30 倍に希釈して使用	
コンクール F® （通称：コンクール）	グルコン酸クロルヘキシジン	洗口	
ネオステリン®グリーンうがい薬 0.2% （通称：ネオステリングリーン）	ベンゼトニウム塩化物	洗口	
含嗽用ハチアズレ®顆粒 （通称：ハチアズレ）	アズレンスルホン酸ナトリウム水和物	洗口	
バトラー®CHX 洗口液 （通称：CHX）	グルコン酸クロルヘキシジン	洗口	
Systema SP-T メディカルガーグル	セチルピリジニウム塩化物水和物（CPC），グリチルリチン酸二カリウム, l- メントール, チョウジ油（添加物）ユーカリ油，アルコール	洗口	

■消毒薬

商品名	主成分	用 途	パッケージ・本体
イソプロパノール消毒液50%「ヨシダ」®	イソプロパノール50vol%	手指，器具	
ウエルパス®手指消毒液0.2%	0.2%ベンザルコニウム塩化物	手指	
ステリハイドL液w/v2%	1L中 グルタラール40gグルタルアルデヒドとして20g	器具	
タイサリート・プラス®	サリチル酸	手指	
タイフレッシュ・ミスト・プラス®	イルガサンDP300，孟宗竹エキス	器具	
ディスオーパ®消毒液0.55%	フタラール0.55%	器具	
デントハイド®	20%グルタラール液	器具	
ヒビスクラブ®消毒液4%	4%クロルヘキシジングルコン酸塩	手指	
ヒビソフト®消毒液0.2%	0.2%クロルヘキシジングルコン酸塩液	手指	

■消毒薬（つづき）

商品名	主成分	用途	パッケージ・本体
5%ヒビテン®液	5%クロルヘキシジングルコン酸塩液	手指，器具	
ピューラックス®	6%次亜塩素酸ナトリウム液	手指，器具	
ベンクロジド®5%液	5%クロルヘキシジングルコン酸塩	手指，器具	
ラスノンソニック®P	グリシン系両性界面活性剤（TEGO-51）	器具	

■染め出し剤（歯垢染色剤）

商品名	主成分	用途	パッケージ・本体
プロスペック®歯垢染色剤液・ジェル		歯垢染色	液　ジェル
Ciプラークチェッカー		歯垢染色	
デントリキッドプラークテスターAR	食用赤色106号	歯垢染色	

■義歯裏装材

商品名	主成分	用途	パッケージ・本体
ソフリライナー®	α，ω‐ジビニルポリシメチルシロキサン，ジメチルハイドロジェンポリシロキサン，二酸化ケイ素など	義歯床用長期弾性裏装	
ティッシュコンディショナーⅡ®（通称：ティッシュコンディショナー白）	PEMA，その他	粘膜調整（裏装）	
ティッシュコンディショナー®（通称：ティッシュコンディショナーピンク）	レジン	暫間裏装	
デンチャーライナー®（通称：リベース材）	PEMA，その他	義歯床用裏装	

■義歯安定剤

商品名	主成分	用途	パッケージ
ファストン®	天然カラヤガム	義歯の吸着安定	

■義歯洗浄剤

商品名	主成分	用途	パッケージ・本体
ラバラックD®	次亜塩素酸ナトリウム	義歯洗浄液	

■即時重合レジン（即重）

商品名	主成分	用途	パッケージ・本体
オルソファスト®	粉：ポリメチルメタフレート 液：メチルメタクリレート	スプリントやリテーナー用の透明レジンで赤と透明の2色がある	
プロビナイス®	粉：メタクリル酸エステル重合体 液：メタクリル酸エステル	アクリル系レジンTEK，義歯修理などに使用する． 赤と白色がある	
ユニファスト®・トラッド	粉：メタクリル酸エステル重合体 液：メタクリル酸エステル	TEK，義歯修理などに使用する． 赤，白の2色がある	
ユニファストⅢ	粉末：メタクリル酸エステル重合体 液：メタクリル酸メチル	暫間インレー，クラウン，ブリッジ等の作製，義歯床の修理等に用いる	
パターンレジン®	粉：メタクリル酸エステル重合体 液：メタクリル酸メチル	ろう着の位置決めに使用する	

■歯周包填剤

商品名	主成分	用 途	パッケージ・本体
コーパック® ハード＆ファースト ※通常はこちらがおすすめ	酸化亜鉛， 酸化マグネシウム	歯周包帯	
コーパック®レギュラー	酸化亜鉛， 酸化マグネシウム	歯周包帯	

■歯面研磨剤

商品名	主成分	用 途	パッケージ・本体
PTCペースト （レギュラー：粗研磨用／ ファイン：仕上げ研磨用）	レギュラー：モノフルオロリン酸ナトリウム ファイン：グリチルリチン酸ジカリウム，塩酸クロルヘキシジンフッ化ナトリウム	歯面研磨	
メルサージュ® レギュラー：粗粒 ファイン：細粒	パーミス，グリセリン CMC，モノフルオロリン酸ナトリウム	歯面研磨	
	シリカ，グリセリン CMC，モノフルオロリン酸ナトリウム		
プロフィーペースト®Pro	フッ化ナトリウム 0.1％ 無水ケイ酸	歯面研磨	
リナメル トリートメントペースト®	ヒドロキシアパタイト	歯面研磨	

■歯磨剤など

商品名	主成分	用途	パッケージ・本体
ジェルコートF®	ポリリン酸ナトリウム，フッ化ナトリウム塩酸クロルヘキシジン	歯磨剤	
メルサージュヒスケア®	硝酸カリウム，乳酸アルミニウム，マクロゴール400，フッ化ナトリウム，無水ケイ酸，結晶セルロース濃グリセリン	歯磨剤	
Systema SP-T ジェル	酢酸トコフェロール（ビタミンE），フッ化ナトリウム（フッ素として1,450ppm），ラウロイルサルコシンNa，イソプロピルメチルフェノール(IPMP)，トラネキサム酸，β-グリチルリチン酸	歯磨剤	
Check-Up ジェル	バナナ：500ppm（フッ化ナトリウム）ピーチ，グレープ，レモンティー：950ppm（フッ化ナトリウム）ミント：1,450ppm（フッ化ナトリウム），塩化セチルピリジニウム	歯磨剤	

■表面麻酔剤（OA）

商品名	主成分	用途	パッケージ・本体
ジンジカインゲル20%	アミノ安息香酸エチル	表面麻酔	
ビーゾカイン歯科用ゼリー20%	アミノ安息香酸エチル	表面麻酔	
キシロカイン®ゼリー2%	リドカイン	表面麻酔	
キシロカイン®ポンプスプレー8%	リドカイン	表面麻酔	

■ワックス

商品名	主成分	用途	パッケージ・本体
ニューステッキーワックス®	天然樹脂 パラフィンワックス 蜜ろう	接着	
モデルセメント®（スティッキーワックス）	ビーズワックス，ガムダマー カルナバワックス	仮着	
パラフィンワックス®	パラフィンワックス，蜜ろう，カルナバワックス，ダンマー	圧接 人工歯維持	
ユーティリティーワックス®	マイクロクリスタン，パラフィンワックス，その他	トレーのスペーサーなど	

■補綴物適合チェック材料

商品名	主成分	用途	パッケージ・本体
フィットチニッカーII®	ホワイトシリコーン（ポリシロキサン，無水ケイ酸，ポリエチルシリケート，ワセリン）	義歯，クラウンなどの適合チェック	
フィットチェッカー®アドバンス	ホワイトシリコーン（ポリシロキサン，無水ケイ酸，ポリエチルシリケート，ワセリン）	義歯，クラウンなどの適合チェック	

■咬合紙など

商品名	主成分	用途	パッケージ・本体
OCCLUSAL CHECK-UP FILM（咬合検査用フィルム）		咬合検査	
ジーシーアーティキュレイティングペーパー®		咬合検査	
プリカット咬合紙赤・青（1/2 サイズ）		咬合検査	
咬合紙ホルダー		咬合検査	

■その他

商品名	主成分	用途	パッケージ・本体
ココアバター®	ワセリン，ココアバター	防湿剤	
ワセリン	ワセリン	防湿剤	
マクロゴール（通称：水溶性ワセリン）	エチレンオキシド水	軟膏基剤皮膚保護剤	

② セメント・仮着材・仮封材

歯にクラウンなどを仮づけ（仮着）したり合着（セット）したりするためのセメントや仮ふさぎ（仮封）用の材料です

（空欄には自院で使用する材料を記入しましょう）

■セメントと仮着材・仮封材の種類

　セメントとは，インレー，クラウン，ブリッジなどを歯に合着・接着させるために使用する材料です．

用　途	種　類	商品名	パッケージ・本体
合着用セメント	グラスアイオノマー系	イオノタイト®F	
		フジ I®	
		ビトレマー®ルーティングセメント	
		フジリュート®	
		ビトレマー®ペースト	

■セメントと仮着材・仮封材の種類（つづき）

用途	種類	商品名	パッケージ・本体
合着用セメント	グラスアイオノマー系	ハイボンドレジグラス®	
	レジン系	レジセム EX®	
		SA ルーティング® Multi	
		パナビア® V5	
		ジーセム® ONE neo	
		フジルーティング® EX Plus カートリッジ	
		ビューティーリンク SA	
	カルボキシレート系	ハイボンドカルボセメント®	
	リン酸亜鉛系	エリートセメント 100®	

用途	種類	商品名		パッケージ・本体
仮着材	カルボキシレート系	ハイボンドテンポラリーセメント®	ソフト（通称：ハイボンドソフト）	
			ハード（通称：ハイボンドハード）	
	グラスアイオノマー系	IP テンプセメント		
	ユージノール系（歯髄鎮静作用あり）	テンプボンド®		
		ネオダイン®EZ ペースト		
		ネオダイン®-α		
	非ユージノール系	フリージノールテンポラリーパック®（通称：テンポラリーパック）		

仮封材	樹脂系（熱可塑性）	テンポラリーストッピング®	
	水硬性	キャビトン®	
		キャビトン®ファスト	
		ハイシール®	
	軟質レジン系	デュラシール®	
		PRG プロテクトシール	
接着用	MMA 系	スーパーボンド C&B®	
		マルチボンド® II	

※記載された製品は代表的な薬品などで，新製品に代替わりしているものや，パッケージが変更になっているものがあります．自院で使用しているものが旧タイプであったり，新タイプであるならば，変更した写真を貼るなどして生きたマニュアルになるよう工夫して下さい

●髪の毛の色カラーチャート

髪の毛の色見本（p.9 参照）

カラーリングレベルスケール（日本ヘアカラー協会）
※参考
（NPO 法人日本ヘアカラー協会カラーリングレベルスケール）

※日本航空（JAL）客室乗務員は写真のカラーリングレベルスケール 6 番までの色で，
全日空（ANA）はヘアカラーを認めていません.
ホテルではレベル 7 までとしているところが多いようです.

[協力企業一覧]

株式会社 モリタ製作所
株式会社 YDM
株式会社 ナカニシ
株式会社 ジーシー
株式会社 トクヤマデンタル
株式会社 松風
株式会社 茂久田商会
ヒューフレディジャパン合同会社
ケーオーデンタル株式会社
株式会社 マイクロテック

謝 辞

　このマニュアルは荒巻及川歯科医院と吉祥寺南歯科の新人研修テキストがその基本となっています．本書を作成するためにさまざまな方々のご協力をいただきました．医療法人社団慈成会荒巻及川歯科医院理事長の江澤眞惠先生，武田周五郎先生，歯科衛生士：千葉直子，及川由貴子，柴田かおり，早坂明莉，歯科助手：川岸　恵，阿部加奈および吉祥寺南歯科 歯科医師：神尾玲奈，歯科衛生士：肥塚早苗，越川　遥，歯科助手：藤江　穂の各氏に感謝いたします．また，歯科機材については㈱YDM，㈱モリタ製作所，㈱ナカニシ，㈱ジーシー，㈱トクヤマデンタル，㈱松風，㈱茂久田商会，ヒューフレディジャパン合同会社，ケーオーデンタル㈱，㈱マイクロテックほかの方々にご協力をいただきました．さらに，外科領域の内容について日本大学歯学部口腔外科学講座 生木俊輔先生にアドバイスをしていただきました．介護については吉祥寺南病院リハビリテーション科の後藤隆太郎氏に助言をいただきました．ここに改めて御礼申しあげます．

索 引 Index

（※商品名の®は便宜上ここでは省略しています）

MEMO

MEMO

MEMO

MEMO

【著者略歴】

江澤庸博（えざわつねひろ）

1980 年　日本大学歯学部卒業
1984 年　日本大学大学院歯学研究科修了（歯周科）歯学博士
　　　　　日本大学助手歯学部勤務
1985 年　日本大学講師歯学部勤務（1988 年まで）
　　　　　東京都立心身障害者口腔保健センター日大派遣医（1993 年まで）
1988 年　日本大学歯学部歯周科兼任講師（2000 年まで）
1990 年　東京都リハビリテーション病院日大派遣医（1992 年まで）
　　　　　荒巻及川歯科医院勤務（宮城県仙台市）
　　　　　日本歯周病学会認定医
1997 年　荒巻及川歯科医院副院長／日本歯周病学会指導医
1999 年　医療法人社団慈成会荒巻及川歯科医院院長（2014 年 3 月まで）
2004 年　日本臨床歯周病学会指導医
2007 年　日本臨床歯周病学会東北支部長（2013 年 3 月まで）／日本歯周病学会専門医
2008 年　宮城県歯科医師会大規模災害対策本部身元確認班班長（2014 年 3 月まで）
2013 年　日本臨床歯周病学会副理事長（2015 年 3 月まで）
2015 年　医療法人社団新仁会
2016 年　医療法人社団新仁会吉祥寺南歯科院長
2017 年　日本臨床歯周病学会副理事長（2020 年 3 月まで）
2019 年　吉祥寺南歯科院長

新人歯科衛生士・歯科助手
院内マニュアル　第 2 版
―院長必携『ポケットマニュアル』院内版　ISBN978-4-263-42322-6

2019 年 5 月 20 日　第 1 版第 1 刷発行
2024 年 1 月 25 日　第 2 版第 1 刷発行

著　者　江　澤　庸　博
発行者　白　石　泰　夫
発行所　医歯薬出版株式会社

〒113-8612　東京都文京区本駒込 1-7-10
TEL.（03）5395-7638（編集）・7630（販売）
FAX.（03）5395-7639（編集）・7633（販売）
https://www.ishiyaku.co.jp/
郵便振替番号 00190-5-13816

乱丁，落丁の際はお取り替えいたします　　　　　印刷・木元省美堂／製本・皆川製本所

© Ishiyaku Publishers, Inc., 2019, 2024. Printed in Japan